Jumanji

George Spelvin

Jumanji

Traducción de
Nuria Lago Jaraiz

CÍRCULO DE LECTORES

PRÓLOGO

No es más que un juego.

Unas reglas y un tablero. Peones y dados. Unas ilustraciones muy atractivas.

Una invitación a la aventura. Una escapada del mundo hacia lo salvaje, lo desconocido. Todo ello desde la comodidad del propio cuarto de estar.

Un juego. Ni más ni menos.

Hasta que lo juegas.

Porque, para los pocos que lo han hecho, no ha habido vuelta atrás.

Y nadie, absolutamente nadie, lo ha jugado dos veces.

Bienvenidos a Jumanji.

PRIMERA PARTE

NEW HAMPSHIRE, *1869*

«¡Crrrrraacck!»

Un rayo hiende el cielo nocturno, bañando el bosque en un blanco azulado y fantasmal. Caleb y Benjamin Sproul distinguen durante un instante, a través de la lluvia torrencial, los taludes del hoyo que han cavado.

Los hermanos oyen un relincho aterrorizado. En el camino de tierra, su caballo se remueve uncido a la carreta. Como cualquier animal, como cualquier ser humano sensato, sabe que no debería estar fuera en una noche tan brutal como ésa.

Pero ni siquiera el miedo hondo e instintivo del caballo puede compararse al terror que Caleb y Benjamin sienten en sus entrañas.

Un terror causado por lo que oculta el toldo de la carreta.

Jadeantes, entornando los ojos por la lluvia, los hermanos tiran las palas fuera del hoyo. Se encaraman fuera, cubiertos de barro y exhaustos.

Caleb echa a correr hasta el carro. Al levantar el toldo aparece una caja de hierro cerrada con un candado.

Benjamin se la queda mirando, paralizado.

—¡Venga! —le grita Caleb por encima del aullido del viento—. ¡Ya casi nos hemos deshecho de ella!

Los dos chicos arrastran la pesada caja por el barro. Al llegar junto al hoyo, la levantan hasta la altura de la cintura.

Cuando van a tirarla por el borde, Benjamin resbala, grita y se cae dentro.

La caja se aplasta en el fondo. Benjamin aterriza sobre ella.

Empiezan a sonar unos tambores. Tambores de la selva, graves y rítmicos, que resuenan sobre el fragor de la tormenta. Su cadencia es feroz y guerrera. Pero al mismo tiempo sensual e invitadora. Y completamente irresistible.

Benjamin está petrificado de pánico.

—¡Dios santo, no! —susurra Caleb con voz ronca—. ¡No!

—¡Viene a por mí! —estalla Benjamin, y de un salto se aparta de la caja para intentar trepar por el talud embarrado.

Caleb se agacha, le tiende la mano y tira de su hermano hasta la superficie. Los tambores suenan ya más fuerte, llamándoles, convocándoles al interior del agujero.

—¡Corre! —gime Benjamin—. ¡Corre!

Caleb agarra a su hermano por el hombro.

—¡No! ¡Tenemos que terminar esto! ¡Ayúdame a enterrarla!

Recogen las palas. Resoplando, al borde del agotamiento, Caleb y Benjamin echan paladas de tierra pesada, húmeda, al hoyo.

Poco a poco, la caja queda enterrada. El sonido de los tambores pierde intensidad y finalmente reina el silencio.

Los chicos se vuelven hacia su caballo, respiran con gran agitación y parpadean para protegerse de los aguijonazos de la lluvia.

—¿Y si alguien la desentierra? —grita Benjamin.

Caleb mueve la cabeza negativamente, con solemnidad, mientras tira la pala al carro.

—¡Que Dios se apiade de su alma!

Otro relámpago corta el cielo. Antes de que retumbe el trueno, los chicos ya se han montado en el carro y arrean al caballo.

Caleb ve un hito de granito con la siguiente inscripción: «Brantford, 1,6 Km».

En un momento estarán en casa. Sanos y salvos. Y secos.

Tal vez algún día se olviden de esa horrenda caja. O tal vez no; pero, por lo menos, habrán cumplido con su obligación ante las futuras generaciones.

Bajo tierra, lejos de la civilización, la caja no perjudicará a nadie.

Mientras se quede allí.

SEGUNDA PARTE

NEW HAMPSHIRE, 1969

CIEN AÑOS MÁS TARDE

«¡Ñññiiiiih...! ¡El bombardero B-52 se lanza en picado sobre el campamento enemigo... suelta las bombas... levanta el morro y escapa!»

Alan Parrish tomó una curva cerrada a la derecha y salió a Main Street. Por lo menos circulaba a veinticinco kilómetros por hora. O a treinta. Aquellas Schwinn de tres velocidades eran las mejores: velocidad, robustez, estilo. Tomó por la acera de la panadería, saltó el bordillo delante de la floristería y se lanzó a la calzada.

«¡Prepárate para bombardear el cruce de carreteras por donde llegan los suministros... ahora, mientras el mariscal de campo Harrison retiene al batallón de tanques!»

En la esquina de Main con Elm Street, el guardia Harrison vio a Alan y detuvo el tráfico.

—¡Todo tuyo, Alan! —le gritó, sonriente.

Alan cruzó en tromba. Tomó por la plaza y dedicó el saludo habitual a la estatua de su tatarabuelo, el general Angus Parrish, héroe de la Guerra de Secesión.

—¡Prepárate para morir! —sonó un grito de guerra por detrás del monumento.

«¡Emboscada!»

Era Billy Jessup. La peor pesadilla de Alan. Medio perro de ataque, medio mono, disimulado dentro del cuerpo de un niño de trece años. Entregado a un objetivo principal en su vida: destruir a Alan Parrish.

Para Billy, en general «estrategia» significaba: «Ven aquí», antes de soltar un puñetazo. Pero se estaba volviendo más listo. Planeaba una emboscada y se había llevado a toda su banda.

Alan pedaleó con furia. Gotas de sudor le cubrían el entrecejo. Oía los gruñidos de la banda de Billy a su espalda.

Pero Alan conocía su punto débil. Todos tenían una Stingray. Bonito diseño, ruedas pequeñas. No tenían nada que hacer contra una Schwinn.

Alan dejó Main Street y ascendió por Mill Road como un cohete. Por un lado, el río Brantford bajaba plácidamente entre cantos rodados y carrizos; por el otro, un bosquecillo se abrió enseguida ante un solar amplio y soleado.

Y más allá del solar se alzaba un viejo edificio de ladrillo que Alan conocía casi tan bien como su propia casa: la fábrica de calzado de su padre. A salvo.

Le ardían los muslos cuando pasó zumbando por delante del cartel familiar: «Calzados Parrish. Cuatro generaciones de calidad».

Dejó la bici junto a la puerta principal y se coló dentro a toda prisa.

Billy y su banda se pararon.

—¡Venga, hombre, corre a las faldas de tu papá! —se mofó Billy—. ¡Te esperaremos!

Alan dejó que se cerrase la puerta tras él para arrimarse a la pared, y así recobrar el aliento.

A su alrededor, la fábrica de calzados Parrish bullía de actividad. Los artesanos cortaban y moldeaban cuidadosamente lo que el padre de Alan llamaba «los zapatos que hacían caminar a Nueva Inglaterra». Una cinta transportadora llevaba piezas de cuero hacia una enorme máquina de marcar y cortar. Los equipos de obreros cosían, teñían, lustraban y comprobaban la calidad, todo ello en mostradores y suelos lim-

písimos. La nave abovedada resonaba de cruji-
dos y tintineos metálicos.

Lo cual, después de lo que le había ocurrido a
Alan, era música celestial.

Lo único que tenía que hacer entonces era
permanecer entre las sombras, lejos de su padre.
Si él averiguaba que Alan estaba allí...

—¡Eh, pero hombre! ¡Alan!

Alan se volvió. Carl Bentley le hacía señas
desde el otro lado de la máquina de cortar suelas.

Carl era un gran tipo. Era el más joven, el más
audaz, el más listo de los obreros de la fábrica.
En 1969, la mayoría de los obreros se vestían
aún con gran formalidad, pero Carl llevaba pantalones acampanados y el pelo a lo afro. Los empleados más jóvenes le llamaban «Tapas y Medias Suelas».

—Hola, Carl —le saludó Alan.

—Te voy a enseñar una cosa —le dijo Carl—.
Hace un año que estoy trabajando en ello y esta
tarde tengo una cita para enseñárselo a tu padre.

Y le mostró el zapato más raro que Alan había
visto en su vida. Estaba hecho de cuero y lona, con cordones y relleno... muchísimo relleno.
La suela era ancha y gruesa, con relieve. Alan

calculó que era una especie de zapatilla deportiva, pero no se parecía nada a las Converse de lona que llevaba todo el mundo. Más bien parecía una zapatilla del espacio.

—¿Qué? —le preguntó Carl con una sonrisa de orgullo—. ¿Crees que le gustará?

—¿Qué es eso? —le preguntó Alan.

—¿Que qué es? Es el futuro. Dentro de unos dos años, habrá un par en todos los armarios de América. Esta zapatilla se pondrá de moda y...

Pero Alan no le escuchaba. Acababa de ver por una ventana a Billy y sus muchachos, que remoloneaban por ahí. Le esperaban. Tal y como le habían prometido.

—¿Qué pasa? —preguntó Carl.

—Nada —respondió Alan.

Mientras Carl se dirigía a la ventana a descubrirlo por sí mismo, tronó un vozarrón:

—¡Aaaaalan!

Glub.

El corazón de Alan dio tal vuelco que se atragantó. Se volvió para mirar a su padre, con una sonrisa forzada.

El señor Parrish caminaba igual que dirigía su fábrica: con obstinación, deprisa y sin hacer caso a lo que se interpusiera en su camino. Un penacho de humo blancuzco y perfumado salía de su sempiterna pipa. Llevaba el ceño fruncido, en una expresión que parecía de leve fastidio.

Pero Alan sabía lo que le corroía por dentro. Y no era leve en absoluto.

Había dos cosas que no soportaba el padre de Alan. La primera era la ociosidad. Alan sólo era bien recibido en la fábrica para aprender o trabajar.

La segunda era la debilidad. Para el señor Parrish, huir no era propio de hombres. Un caballero aguantaba el tipo, pasara lo que pasara.

—¿Qué haces aquí? —le preguntó el señor Parrish, muy serio—. Ya te he dicho otras veces que la fábrica no es el patio del colegio.

Alan retrocedió. Sin querer, tiró la zapatilla recién inventada de Carl a la cinta transportadora, que estaba parada.

—He venido a ver si podías llevarme a casa, papá —repuso Alan.

El señor Parrish enarcó una ceja.

—¿Billy Jessup otra vez?

Alan miró al suelo. Ya estaba. Otro sermón.

Y esta vez, delante de Carl y todos los jefes de taller.

—Hijo, tendrás que enfrentarte con él antes o después —entonó el señor Parrish—. Si estás asustado por algo, habrás de encararte con ello.

Los obreros fingían que no oían, lo cual significaba que lo estaban escuchando todo. Alan deseó que se lo tragara la tierra.

Con una sonrisa terrible, el señor Parrish le dio unas palmaditas en la espalda.

—Bueno, ahora vete, hijo.

Alan se sentía diminuto. Se escabulló arrimado a la pared. Las miradas de pena de los trabajadores eran como sopletes pequeñitos y ardientes.

En su precipitación por salir de allí, Alan no advirtió que la cinta transportadora se ponía en marcha de nuevo.

Tampoco vio cómo rodaba hacia la máquina de cortar la zapatilla de deporte futurista de Carl.

Aunque Carl tampoco. Estaba muy concentrado mientras oía su parte del sermón.

—Tienes mejores cosas que hacer que dejar

al chico juguetear por aquí —le advirtió el señor Parrish.

—Lo siento, señor —replicó Carl.

—Ah... casi se me olvida. ¿Para qué querías verme, Carl?

Carl buscó la zapatilla a su alrededor.

La máquina de cortar empezó a producir un ruido trinchante. Su ritmo lento se volvió frenético. El mecanismo tosía y chirriaba, escupiendo tornillos, entre chispas y un humo acre.

«¡Nuac... ñuac... ñuac!»

Sonó la alarma de la fábrica. Desconcertado, Alan observó cómo la nave entera se sumía en el caos. Su padre se abría paso hacia la máquina entre un tropel de obreros y sus gritos de pánico.

Después, tras un último estremecimiento, la máquina se paró.

El señor Parrish abrió el armatoste humeante. Metió una mano dentro y sacó un revoltijo de cuero y lona achicharrado y retorcido.

El rostro de Carl se vino abajo al ver destruida su creación.

—¿Quién ha hecho esto? —rugió el señor Parrish mirando a Carl furioso.

Ay, madre...

Alan no quiso quedarse a presenciar la masacre. Dio media vuelta y salió por la puerta principal.

Pero se paró en seco en cuanto salió a la luz del día. Su cerebro le mandaba una alerta Jessup.

Alan miró a derecha e izquierda. La bici seguía donde la había dejado, apoyada en la pared.

Ni Billy ni banda.

Aleluya. Probablemente estarían por ahí intentando robar cordones de zapatos. Alan se montó en la bici de un brinco. Mill Road se abría ante él, desierta y libre.

Cuando empezaba a pedalear, distinguió un movimiento detrás de un árbol, a la izquierda de la carretera. ¿Un ciervo, acaso...? Instintivamente, se inclinó hacia el otro lado.

Pero no era un ciervo. Ni un oso. Estaba un poco más arriba de la cadena alimentaria.

Sólo un poco.

Como una manada de lobos, Billy y sus compinches aparecieron por detrás de los árboles.

Y se dirigían directos hacia Alan.

3

«¡Scriiiiich!»

Alan frenó en seco.

—Sólo por ser un Parrish —le gritó Billy con una sonrisa de sorna— no tienes derecho a salir con mi chica.

—¿Con Sarah? —Alan no podía creerse lo que oía.

¿Por eso le perseguían? Sarah Whittle era vecina suya... un poco chillona, pero buen blanco para las bolas de nieve en invierno y una persona decente. Eso era todo.

—Si siempre hemos sido amigos —explicó Alan.

Billy sonrió.

—Pues ya no.

Su coro soltó una carcajada, como si el chiste de Billy fuera ingeniosísimo. Después se acercaron a Alan con sonrisas carnívoras.

Él, bloqueado, meditó sobre sus posibilidades: delante le esperaba un destino funesto. Detrás, la serie de sermones de su padre. Huir sería inútil y quedarse allí, una estupidez.

Ganó la estupidez. Los chicos se abalanzaron sobre él. Alan intentó defenderse, pero sólo logró estropear más las cosas.

Se sintió afortunado de conservar la cabeza. Los puñetazos en el estómago eran tan fuertes que creyó que lo atravesarían.

Cuando lo tiraron a una zanja y se vio sangriento y magullado, se sintió como un chicle Bazooka masticado y escupido.

Gimiendo e hinchado, trepó a rastras para salir de la zanja. Vio alejarse a sus torturadores en las Stingray.

Menos Billy, que montaba la Schwinn de Alan y zigzagueaba con ella por la carretera, riéndose.

Alan escupió sangre.

—Gilipollas —murmuró.

Mientras se incorporaba con gran esfuerzo, miró con inquietud las ventanas de la fábrica. Sólo había una cosa más humillante que una paliza de Billy Jessup.

Que le dieran una paliza delante de su padre.

Una hilera de ventanas grises y vacías le devolvió la mirada. No había cara enfadada, decepcionada o feroz en ninguna de ellas. Con una leve sensación de alivio, Alan se dio media vuelta y regresó a casa tambaleándose. Su camisa era un andrajo sucio y hecho jirones y tenía las piernas rígidas y magulladas.

Fantástico. ¿Cómo demonios iba a ocultarles aquello a sus padres? Ya se imaginaba el futuro que le esperaba: su madre deshecha en lágrimas, llamaría a los Jessup para quejarse. Represalias de Billy. Más llamadas. Más represalias. Sermones de su padre por la noche. Clases de boxeo. Excursiones de supervivencia en el bosque. Campamentos de entrenamiento de liderazgo.

Y después, años más tarde, para acabarlo de arreglar, su padre obligaría a Alan a trabajar en el negocio de calzado y a contratar a Billy como jefe.

Toda una vida de absoluta desgracia.

Los párpados inflamados de Alan se llenaron de lágrimas. «¡Odio, odio, odio esta vida!», pensó. Ojalá pudiera escaparse de Brantford y de esos niños estúpidos y de la podrida y totalmente opresiva dinastía Parrish. Ojalá su Schwinn fuera realmente un avión de combate y se lo llevara lejos de allí...

Un retumbar de tambores interrumpió sus pensamientos.

Fantástico. Una jaqueca. Tal vez un tímpano roto, o una conmoción cerebral. Nada mejor que añadir una pequeña lesión al insulto.

Sacudió la cabeza. Se metió un dedo en el oído y hurgó con fuerza.

El sonido seguía allí, más alto.

No, no podía ser un dolor de cabeza. No era regular como los latidos del corazón. Tenía un ritmo extraño, salvaje y primitivo, casi guerrero.

Pero lo más raro es que llenó a Alan de una alegría muy especial. La mitad de él quería escapar de allí, pero la otra mitad deseaba bailar.

El sonido procedía del otro extremo de la calle, del solar vacío justo detrás del viejo hito de la carretera, en el que se leía «Brantford, 1,6 Km», con letras gastadas por las inclemencias del tiempo y bajo décadas de musgo.

Alan se acercó. La cadencia aumentaba. Era como si los tambores supieran que se estaba aproximando. Como si le llamaran.

Llegó al lindero del solar en construcción. Se detuvo junto a un letrero que rezaba «Futuros despachos ejecutivos de Calzados Parrish», y se asomó a un enorme foso. Había visto los planos del nuevo edificio. Algún día doblaría el tamaño de la fábrica.

Pero en ese momento sólo había un agujero tremendo en el suelo, lleno de camiones, maquinaria, obreros, equipos... y el retumbar de tambores más fantástico que Alan había oído en su vida.

Escudriñó la zona. En el otro extremo del foso, un camión bar bajaba por una rampa. La mayor parte de los obreros habían dejado las herramientas y se dirigían hacia él.

Los tambores estaban furiosos, ensordecedores. Pero Alan no vio ninguna banda. Y ni uno solo de los trabajadores parecía advertir el sonido en absoluto.

«Suena sólo para mí...»

El pensamiento chispeaba en su mente.

Alan sonrió. Oía cosas. Tenía un tornillo suelto. Eso debía de ser.

Dio la vuelta para marcharse.

Entonces pareció que los tambores estremecían la tierra. Como si un ejército de guerreros de la selva estuviera a punto de brotar del suelo.

Del suelo.

Debajo del suelo.

Allí estaban los tambores. Alan no sabía cómo lo supo. Pero lo sabía.

Estudió con lentitud el foso abierto, en busca de un sendero para bajar.

«¿Pero qué estoy haciendo?»

Meterse allí era una idea ridícula. En su estado, podía caerse y partirse el cuello.

Pero oye, si no lo intentas, nunca te enterarás.

Respiró hondo y después se introdujo con cuidado en el foso.

Cuando llegó al fondo se dio cuenta de que se le había pasado el dolor.

Todavía tenía los cardenales y los cortes, pero casi no los sentía. Era como si los tambores se le hubieran metido en el cuerpo, lavándole, dándole fuerzas. Alan se sintió electrizado. Todos sus poros latían, expectantes de aventuras.

Siguió el sonido frenético hasta tropezar con un laberinto de cemento.

Justo encima de ellos, se detuvo.

La pared.

La pared de tierra del foso. Allí estaban enterrados los tambores.

El suelo estaba muy apisonado, pero Alan clavó las manos en él. Arañó y sacó terrones, arrancó pequeñas raíces, lanzó una lombriz por los aires.

A menos de treinta centímetros, sus dedos toparon con algo duro. Una especie de asa metálica y corroída.

La asió con fuerza, plantó los pies y tiró.

La caja se desencajó. Alan perdió el equilibrio y se cayó de espaldas. Recibió una rociada de tierra.

El sonido de los tambores se detuvo de inmediato.

Alan tenía en el regazo una caja metálica oxidada, con un candado. La dejó en el suelo y cogió una pala que había por allí. La levantó y luego la descargó con fuerza, directamente sobre el candado.

Con un fuerte crujido, éste se partió en dos y se salió.

Lentamente, Alan levantó la tapa.

4

Arena.

La caja estaba llena de arena.

«Realmente, me estoy volviendo loco», pensó Alan. Suspiró, se levantó y se alejó.

Entonces empezaron de nuevo. Los tambores. Fuertes y furiosos, prácticamente le machacaban los oídos.

Alan se dio media vuelta, se arrodilló y hundió las manos en la caja. Sus dedos tocaron algo sólido entre la arena.

Tiró de aquello. De entre la arena, apareció una caja de madera rectangular. Uno de los lados largos tenía bisagras; y el otro, un cierre. Parecía un tablero de ajedrez o de *backgammon*.

La madera era brillante y suave. Por debajo de un barniz transparente destacaba una pintura tan elaborada y gloriosa que podía haber sido pintada la víspera. Entre una maraña selvática verde oscuro y una distante sabana ambarina destacaban leones, monos, pájaros exóticos y rinocerontes cargando. Un cazador de anchos hombros y bigote reinaba en el centro de la escena, tocado con un salacot. Empuñaba un rifle.

Sobre la tapa, en unas letras brillantes de fantasía, se leía una palabra: «Jumanji».

Alan sacudió la caja y dentro sonó algo.

Con sumo cuidado accionó el cierre y abrió las dos mitades del tablero.

Un destello de un color vivo le asaltó desde el interior. Pero antes de que le diera tiempo a examinarlo, oyó voces a su espalda. Se acercaban los obreros.

Sólo le faltaba que aquellos hombres advirtieran a su padre de su presencia.

Alan cerró la caja de golpe y salió del agujero.

El camino de regreso a su casa fue largo y tortuoso. Las heridas empezaban a escocerle, los labios y los ojos le latían de dolor.

La casa de los Parrish se alzaba en el punto más alto de Brantford, al final de Jefferson Street. Era la casa más grande y más antigua de la ciudad, la mansión que había construido el general Angus Parrish con el botín de la Guerra Civil. El general no había reparado en gastos: puertas de roble labrado, un vestíbulo inmenso, un salón abovedado, una chimenea donde se podría asar un buey, un reloj de pared antiguo tan grande como un árbol, suficientes dormitorios para una familia numerosa y el servicio, y un desván increíble.

La familia de Alan no tenía el servicio ni el régimen de vida de la aristocracia, pero había mantenido la casa con cariño. Estaba muy bien cuidada y era una parada de rigor de varias excursiones históricas de New Hampshire.

Pero Alan no pensaba en nada de eso cuando se coló por la puerta principal. Su preocupación más acuciante era el silencio. Si le veía su madre, la armaría. Y él se moría de ganas de abrir la caja.

Cruzó el cuarto de estar de puntillas, se sentó en el sofá y abrió el cierre de la caja.

—Uauuu —murmuró.

Era un juego con un tablero, de acuerdo, pero distinto de todos los que había visto en su vida: el tablero era de madera tallada a mano. Cuatro caminos de casillas cuadradas blancas serpenteaban por un dibujo colorista y desenfrenado: una selva con animales y una vegetación exuberante, al estilo de un antiguo cartel de circo. En el centro había un círculo negro muy brillante. En un extremo, un compartimento con un par de dados y cuatro peones pequeños.

Alan cogió uno de los peones, una figurilla africana labrada intrincadamente.

—¿Alan? ¿Ya estás en casa? —sonó la voz de su madre.

«¡Ups!» Alan dejó el peón sobre el tablero, mirando ansiosamente hacia la puerta del cuarto de estar.

Si hubiera mirado hacia abajo, habría visto al peón deslizarse solo, deprisa y sin ruido, por el tablero.

Al llegar a la primera casilla de uno de los recorridos, se detuvo.

A punto para empezar a jugar.

Pero Alan no vio nada. Cerró el tablero de golpe y lo metió debajo del sofá justo cuando su madre aparecía por el umbral.

Al ver su estado, la sonrisa de su madre desapareció de inmediato.

—Oh, Alan, otra vez no —protestó.

Alan le explicó todo a su madre, excepto lo de la caja de Jumanji. Eso lo dejó para más tarde.

Después de ducharse y vestirse, se sintió un poco mejor, pero no demasiado.

Alan tenía un consuelo para ese día aciago. Sus padres iban a salir por la noche a una fiesta de etiqueta.

Lo cual significaba cenar solo. Y sin sermones agotadores.

Limpio e impecablemente vestido, Alan picoteó con desgana la cena. La mesa del comedor de los Parrish se extendía ante él, larguísima, oscura y pulida. Era como un campo de fútbol. Probablemente una antigüedad de los tiempos en que toda la corte del rey se reunía para comer. Si pasabas una fuente de puré de patatas caliente, cuando llegaba al otro extremo ya se había enfriado.

«Clonc, clonc, clonc...» Alan oyó los inconfundibles pasos de su padre cuando bajaba las escaleras del vestíbulo principal; y después, su voz:

—Trabajo duro, determinación y una perspectiva feliz...

Agh. Vaya con papá. Un sermón a cualquier precio.

—... Atributos que han modelado el espíritu de Brantford desde que nuestros antepasados levantaron esta ciudad —prosiguió el señor Parrish, todavía en el vestíbulo—. Pese al granito de nuestro suelo y la dureza de nuestro clima, nosotros... nosotros hemos... ¡Vaya por Dios! ¿Qué más?

—¿Prosperado? —le sopló la señora Parrish—. ¿Persistido?

—¡Esta mañana me sabía el discurso entero de memoria!

Alan soltó un suspiro de alivio. Un discurso. Bien. Que temblaran los demás.

Durante un momento, su madre y su padre murmuraron en voz baja entre ellos. Después entraron en el comedor.

—Bueno —empezó a decir el señor Parrish, ceremonioso—, nos vamos.

—Muy bien —respondió Alan encogiéndose de hombros.

—Alan —intervino su madre—, le he contado a papá lo que me has dicho esta tarde. Que no fue sólo Billy Jessup.

Después miró con intención a su marido.

—De haberlo sabido —añadió el señor Parrish, incómodo, como remoloneando— no habría...

Típico de papá. Cuando quería acción siempre encontraba las palabras, pero cuando tenía

que admitir que se había equivocado, tartamu-
deaba como un niño pequeño.

—Vale, papá, vale —respondió Alan.

—Pero quiero que sepas que estoy muy orgulloso de ti —continuó su padre—. Te has enfrentado con ellos aunque eran más. Y como te lo
has tomado como un hombre... —Se sacó un folleto del bolsillo y se lo tendió a Alan—. Tu madre y yo hemos decidido que estás listo para
acudir a la Academia Cliffside para chicos. Hoy
nos lo has demostrado.

—Felicidades, cariño —dijo la señora Parrish,
inclinándose para besar a Alan.

Alan miró el folleto. Mostraba a un cretino re-
peinado y atildado, con chaqueta y corbata. Frente a un edificio cubierto de hiedra, sostenía una
pila de libros capaz de producirle una hernia a un
gorila.

Era un internado, comprendió Alan de pronto. Querían echarlo de casa.

—Ya no me queréis aquí.

—Oh, Alan, pero ¿cómo puedes pensar una
cosa así? —exclamó la señora Parrish.

—Os avergonzáis de que siempre me peguen
—continuó Alan.

—Si te acabo de decir lo orgulloso que me siento de ti —replicó su padre—. Y siempre habíamos planeado llevarte a Cliffside cuando llegara el momento. Quiero decir que todos los Parrish hemos asistido a esa escuela desde el siglo XVIII.

Alan miró la foto con detenimiento.

—Mirad esto: ¡Parrish Hall! Los chicos se meten conmigo porque soy un Parrish. ¡Pues si encima vivo en un pabellón con mi apellido...

El señor Parrish pareció muy ofendido.

—Es el dormitorio principal. ¡Le pusieron el nombre por mi padre!

—Fantástico —replicó Alan—. ¿Por qué no vas tú a vivir allí?

—Ya lo he hecho. Y hoy no sería quien soy si no fuera por los años que pasé allí. Así que no te pongas impertinente conmigo, Alan...

—¡No me pongo nada! ¡Es que a lo mejor no quiero ser como tú! ¡A lo mejor ni siquiera quiero ser un Parrish!

—¡No te preocupes, no lo serás! —La cara de su padre estaba roja de furia. Su esposa le puso la mano en el hombro, pero no sirvió de nada—. ¡Al menos, hasta que no empieces a comportarte como uno de nosotros!

A continuación, el señor Parrish echó a andar majestuosamente hacia la puerta.

—Entonces supongo que no estoy listo para ir a Cliffside —murmuró Alan.

Su padre dio media vuelta, como un rayo.

—¡Pues te vamos a llevar el próximo domingo y no quiero oír una palabra más sobre el tema!

—¡No la oirás! —le espetó Alan, reprimiendo las lágrimas—. ¡No volveré a dirigirte la palabra, tranquilo!

El padre de Alan se quedó mirándole un momento, con una mezcla de escándalo y disgusto en la cara. Después, sin decir palabra, hizo un gesto a su mujer y salieron los dos de la casa. A Alan se le llenaron los ojos de lágrimas. Dolor, rabia y cansancio se le removieron en las entrañas como una jauría de animales peleándose.

Hizo jirones el folleto y dejó que los pedacitos cayeran sobre la mesa. Si querían echarlo de casa, mejor. Se iría inmediatamente y ya estaba. Y desde luego, no sería para marcharse a la Academia Cliffside.

Se escaparía de casa para siempre.

5

Alan subió corriendo a su dormitorio. Abrió el armario y sacó una maleta. «Sólo lo estrictamente necesario», se dijo. Metió algo de ropa y efectos personales, después bajó a la cocina y cogió un tarro de manteca de cacahuete y una caja de galletas.

En mitad del vestíbulo, Alan recordó de pronto la caja.

Regresó en tromba al cuarto de estar, la sacó de debajo del sofá y se la metió en la maleta. Luego, apretó el paso hacia la puerta principal.

«¡Ding dong!»

El timbrazo le sobresaltó. Precipitadamente, metió la maleta debajo de una mesa y abrió la puerta.

Sarah Whittle estaba en el umbral, sonriente. La fuente de dolor y sufrimientos de Alan. La novia oficial del representante del infierno en el colegio, Billy Jessup.

—Oh —dijo Alan llanamente, mientras cogía su maleta—, eres tú.

—¿Te vas a alguna parte? —le preguntó Sarah.

—Sí, yo... —Alan distinguió su Schwinn, en la acera, detrás de Sarah—. Precisamente iba a buscar mi bicicleta a casa de Billy.

—¿Con una maleta?

Alan pasó junto a ella sin decir palabra y empezó a atar la maleta al portaequipajes de la bici.

—Le he dicho a Billy que si no te devolvía la bici no iría con él al cine el sábado —dijo Sarah.

—Estupendo —replicó Alan secamente—. Pues muchas gracias.

—Oye, que yo sólo quería que te dejara en paz. Estaba intentando hacerte un favor.

Alan se dispuso a marcharse con la bicicleta.

—Guárdatelo para tu novio.

—¡Billy no es mi novio! —exclamó Sarah—. Pero por lo menos tiene mi edad.

—Sí, pero mentalmente yo podría ser su abuelo. Y sólo soy diez meses menor que tú.

Sarah le miró furiosa.

—¡Pero eres un inmaduro!

—Estupendo —le respondió Alan volviendo la cabeza—. Pues que seas feliz con Billy.

«Pum papa pum...»

Los tambores sonaron un momento y después se callaron.

Alan se detuvo en seco.

—¿Qué ha sido eso? —preguntó Sarah.

—Nada.

Cuando el niño echó a andar, los tambores sonaron de nuevo.

—¿Qué llevas ahí?

Alan contempló la calle oscura. Ya tendría que estar pedaleando a toda velocidad por ella. Huyendo de Brantford. Y pasar la noche en algún... ¿Qué? ¿Un motel de cinco dólares la noche? Si cinco dólares era lo único que llevaba encima. ¿O acampar al borde de la carretera, con los mosquitos, los mapaches y las babosas? ¡Agh!

¿Y qué pasaría cuando intentara jugar al Jumanji solo? ¿Y si hacían falta dos o más jugadores?

Sarah miraba la maleta. Ella también había oído los tambores. Querría jugar. Y hasta Sarah era mejor que nadie.

Alan dio media vuelta.

—Tienes que ver esto, es realmente fantástico —le confesó a la chica.

Regresaron a la casa los dos, muy decididos.

Una vez en el interior, Alan sacó el juego de la maleta y lo abrió en el suelo.

Sarah cogió los dados y los examinó mientras Alan buscaba las instrucciones.

Ninguno de los dos había advertido el peón que seguía en la primera casilla, justo donde se había quedado la última vez.

—Es tan curioso... Quiero decir, ¿de dónde salen los tambores? —Alan empezó a leer las instrucciones, impresas en la tapa—: «Jumanji, un juego para quienes intentan dejar atrás el mundo. Gana el primero que llega a la meta y grita "¡Jumanji!"».

Sarah hizo una mueca.

—Hace más de cinco años que no juego a estas cosas.

Y tiró los dados sobre el tablero, mecánicamente. Salió un cuatro y un dos.

El peón empezó a avanzar solo, exactamente seis casillas.

Y esa vez, Alan y Sarah lo vieron.

Se quedaron boquiabiertos y patidifusos.

6

—Debe de estar imantado o algo así... —aventuró Alan.

Sarah no contestó. Tenía los ojos fijos en el círculo negro brillante del centro del tablero.

—¡Alan, mira! —exclamó.

En un brumoso remolino, tomó forma un mensaje:

Salen de noche; ¡más vale que te des prisa!
Esos bichos alados no dan ni pizca de risa.

Alan recogió los dados y leyó las palabras en voz alta. Mientras las letras se iban difuminando, se oyó un aleteo en la chimenea.

Sarah se sobresaltó.

—¿Qué ha sido eso?

—No lo sé —respondió él.

—Alan, guarda ese juego —le rogó Sarah con voz vacilante.

«¡Dooong! ¡Dooong! ¡Dooong!»

El reloj del tatarabuelo hizo dar un respingo a Alan. Se le pusieron los pelos de punta. Los da-

dos se le escaparon de la mano y salieron volando.

Fueron a estrellarse sobre el tablero, mar-
cando un dos y un tres.

Otro de los peones salió del compartimento,
hasta otro de los recorridos, y adelantó cinco casillas.

—¡Oh, no! —soltó Alan al ver aparecer otro
mensaje:

En la selva quedarás atrapado,
hasta que salgan cinco u ocho en los dados.

—¿En la selva quedarás atrapado hasta...?
—repitió Alan—. ¿Qué significa esto?

—¡Alan! ¿Qué te pasa? —chilló Sarah.

El grito de la chica cogió desprevenido a Alan.
Sarah le miraba horrorizada, como si le hubieran
salido colmillos.

—¿Qué quieres decir? —le preguntó él—. No
me pasa na...

Una cosa vaporosa acarició la nariz de Alan.
Bajó la vista y advirtió que del círculo negro salía
humo; le empezó a envolver en sus volutas hasta
convertirse en un espeso ciclón gris.

—Pero... pero ¿qué...? —empezó a tartamudear.

Y entonces, sin que pudiera mover un solo músculo, notó que su cuerpo se derrumbaba.

Soltó un grito desgarrador, que resonó en las paredes del cuarto de estar. Y no paró hasta que Alan fue tragado por el tablero de juego.

Sarah se quedó petrificada, incapaz de reaccionar. Se le heló la sangre en las venas y palideció.

Alan había desaparecido dentro del juego.

¿Dentro de un juego?

Dentro del círculo negro apareció todo un mundo en miniatura, una densa jungla, cuya frondosa vegetación era mecida por la brisa, y con un riachuelo serpenteante.

—¡Sarah! ¿Sarah? —sonó la voz de Alan desde allí dentro.

—¿Alan? —susurró ella, aterrada.

Y poco a poco, la escena de la selva se borró, se fundió en negro.

Entonces Sarah volvió a oír el aleteo.

Era tremendo. Como una tormenta eléctrica en miniatura desencadenada en el interior de la chimenea.

En una explosión repentina, cientos de murciélagos irrumpieron en el cuarto. Lo invadieron todo; chillaban, chocaban, se tiraban en picado.

«¡Ñññiiic! ¡Ñññiic!»

Sarah echó a correr hacia el vestíbulo, seguida por una hirviente nube negra. Los murciélagos la rodeaban, la tocaban, le tiraban del pelo.

La chica se cayó de rodillas. Siguió arrastrándose a gatas hacia la puerta.

Después consiguió incorporarse y abrió la puerta. Los murciélagos se dispersaron en la noche.

Y Sarah, bajo ellos, corrió, corrió y corrió.

Los vecinos de Brantford dirían más tarde que los gritos de Sarah se oyeron hasta Main Street; y que la pobre chica corrió tanto que la policía la encontró en el pueblo vecino.

Fuera o no cierto todo aquello, había dos cosas seguras: que Alan había desaparecido y que Sarah se negó a acercarse a la casa de los Parrish nunca jamás.

TERCERA PARTE

NEW HAMPSHIRE, *1995*

VEINTISÉIS AÑOS MÁS TARDE

7

Judy y Peter odiaban aquella casa.

Desde luego, era grande. Y su tía Nora, que se moría de ganas de comprarla, no paraba de decir que era «tan antigua», como si aquello fuera un cumplido.

Decía que la había construido un general de la Guerra Civil.

Bueno, pues, ¿desde cuándo sabían los generales cómo construir una buena casa? Además, en la época de la Guerra Civil no había electricidad. Ni jacuzzis. Ni microondas. Ni ninguna otra cosa decente de las que tienen las casas. Eso lo sabía hasta Peter, que sólo tenía ocho años.

Los tacones de tía Nora repiqueteaban animadamente por la agrietada entrada del jardín. A su lado, la mujer de la agencia inmobiliaria, la señora Winston, no paraba de hablar.

—Me alegro de que se haya decidido a comprar la casa —cotorreaba—. Creo que en esta ciudad precisamente hacía falta una fonda.

—Bueno, era difícil desdeñarla a ese precio; sobre todo amueblada —replicó tía Nora.

La señora Winston abrió la puerta de la entrada y todos pasaron al vestíbulo.

—Anda... —dijo tía Nora, conteniendo la respiración—. Se me había olvidado lo grande que era...

«Inmensa», pensó Judy. Ésa era la palabra que quería decir tía Nora. Un sinónimo de grande. La palabra perfecta para describir el interior de la vieja mansión de los Parrish.

Del techo pendían montones de telarañas, tan densas y cargadas de polvo que parecía la colada tendida de una araña minúscula. El cuarto de estar era un salón tan enorme que se podría jugar al béisbol dentro. Los ladrillos de la chimenea estaban mohosos; y el hogar, cubierto por una mugre verdosa. Sobre la campana había una hornacina de cristal con un sable muy largo. Los muebles, si es que eran muebles, estaban tapados con sábanas grises por la edad. También había un reloj de pie antiguo apostado contra una de las paredes, roto y de aspecto lamentable, como una especie de cadáver.

Judy y Peter se cruzaron la mirada. Ése no era el futuro que tenían planeado...

—Aquí pondré la recepción —declaró tía Nora, señalando la parte delantera del vestíbulo—, y allí, en el salón, un bar...

—Suena delicioso —intervino la señora Winston—. Estoy segura de que usted y sus niños serán muy dichosos aquí.

Tía Nora se acercó a la señora Winston y murmuró:

—En realidad, son los hijos de mi difunto hermano. Su esposa y él fallecieron hace cuatro meses.

Agh. ¿Es que tía Nora se creía en serio que no la oían?, se preguntó Judy. ¿Es que pretendía ahorrarles sufrimientos o algo así?

Qué asco de vida. Desde la muerte de sus padres, Judy y Peter no podían sentirse peor. En principio, sus padres se iban de viaje una semana, a esquiar en las Montañas Rocosas canadienses. Su segunda luna de miel, dijeron. La mayor preocupación de Judy era que su padre se rompiera una pierna en las pistas. Pero un accidente de coche mortal... Ningún niño estaba preparado para afrontar eso.

Sin mencionar lo que sucedió después. Las miradas de pena, la manera dulce y supercompasiva con que la gente se sentía obligada a hablarles. Las llamadas telefónicas y las peleas familiares por la custodia de los niños. ¡Y las preguntas! Siempre las mismas, una y otra vez.

Pobre Peter. Se había encerrado completamente. No había vuelto a hablar con nadie, salvo con Judy, desde el accidente. En cuanto a Judy, bueno, a ella le había dado por lo contrario: ¿por qué no decir nada cuando se podía... adornar un poquito? Era más divertido inventarse explicaciones, describir las cosas como uno quería que fueran, observar si la gente la creía o no. En general, la creían.

Tía Nora pensaba que necesitaban «empezar de nuevo». Era una enamorada de las cosas antiguas y además siempre había deseado dirigir una fonda. Así que allí estaban, arrancados de su ciudad natal, lejos de sus amigos, en aquella mustia Brantford, New Hampshire, un domingo de primavera, previo a su primer día de clase.

Qué consuelo.

La señora Winston sonrió a Peter.

—¿Qué te parece, jovencito? ¿Es lo bastante grande para ti?

Peter se dio media vuelta y salió de la habitación.

—No ha pronunciado una palabra desde que ocurrió —explicó Judy.

—Oh, madre mía...

La señora Winston frunció los labios en una expresión que Judy conocía muy bien. «¡Uy, qué incómoda me siento pero tengo que fingir simpatía!»

—Lo siento. Es terrible... espantoso.

—No pasa nada —mintió Judy—. Veíamos muy poco a papá y mamá. Siempre estaban fuera, esquiando en St. Moritz, jugando en Montecarlo, de safari en el África negra. Ni siquiera sabíamos si nos querían. Pero cuando el yate del jeque se hundió, consiguieron escribirnos un precioso mensaje de despedida, que apareció flotando dentro de una botella de champaña.

Después Judy se encogió de hombros y se alejó, dejando a la señora Winston aturdida.

Mientras se dirigía por el vestíbulo hacia la escalera, Judy oyó susurrar a tía Nora:

—Eran unos padres completamente entregados. Fue un accidente de coche en Canadá.

Suspiró. Se lo había desbaratado otra vez.

Judy pasó por debajo de una arcada y llegó a una biblioteca grandiosa. Librerías de madera oscura hasta el techo, cubiertas de libros encuadernados en piel, muy polvorientos. En uno de los extremos había una galería acristalada, por la que se colaba la luz del sol, muy filtrada por la mugre de los cristales.

Peter estaba allí. Judy observó cómo quitaba una vieja sábana que cubría un busto de bronce. Le oyó contener el aliento cuando los severos ojos del general Angus Parrish se clavaron en él.

Una casa muy alegre.

Para ser una mujer soltera, tía Nora poseía montones de porquerías. Aquella tarde, después de descargar el camión de mudanzas, la inmensa mansión parecía atestada con sus cajas.

Que se las apañara ella sola. Tardarían la vida entera en colocarlo todo.

Los dormitorios daban a un largo pasillo del piso superior. Mientras Peter y Judy cargaban con sus maletas hacia sus respectivos cuartos, descubrieron a tía Nora forcejeando una puerta del final del pasillo.

—Tendré que llamar a un cerrajero para ésta —les dijo al fin, suspirando, exasperada.

Peter corrió hacia allá y atisbó por el ojo de la cerradura. Sólo consiguió ver un cuadro en una pared y un trofeo sobre una cómoda. El cuarto de un niño. Pensó que tal vez hubiera cosas interesantes dentro.

—Bueno, niños —añadió tía Nora—, vamos a ordenar todo esto. Peter, lleva esa maleta al desván. Después nos iremos a tomar un helado.

Mientras Judy seguía hacia su habitación, Peter cogió una linterna de una caja de cartón y después subió la maleta de su tía por la escalera del desván. En lo alto había una puerta de madera, entornada.

La empujó con el hombro y la puerta se abrió lentamente hacia dentro.

«Ñiiiiii...»

El chirrido resonó en el interior, negro como la boca del lobo. Una oleada de aire frío y húmedo le dio en la cara.

Después oyó un ruidito. Parecía un aleteo.

«¡Vete de aquí!»

Peter hizo caso omiso de la vocecilla interior. La habitación daba miedo, pero era lo mejor que había visto en toda la casa.

Encendió la linterna y entró.

Dos ojos oscuros le miraron fijamente.

Peter dio un brinco hacia atrás. Parapetado tras el quicio de la puerta, echó otro vistazo. Los ojos pertenecían a la cara de una pintura, un vejestorio pomposo que se parecía al busto del general Angus Parrish.

Peter paseó el haz de la linterna de derecha a izquierda. El desván estaba de bote en bote, como el resto de la casa. Viejos baúles de viaje arrimados a la pared. Muebles desvencijados bajo el peso de las cajas de cartón. Un piano vertical. Por encima, las vigas de madera llenas de clavos, de donde pendían toda clase de cosas: abrigos, mantas, equipos de acampada y de deportes...

Y un objeto negro de cuero muy arrugado.

Peter se aproximó un poco más. ¿Sería una especie de guante de béisbol de otros tiempos?

No.

Los guantes de béisbol no se movían.

Ni volaban.

Ni chillaban.

Ni atacaban a los niños de ocho años.

«¡Nñiiick!»

Peter soltó la linterna y echó a correr.

Un murciélago gigantesco se abatió sobre él, mostrando sus relucientes colmillos afilados.

8

Judy y tía Nora se precipitaron al pie de la escalera del desván.

Peter salió en tromba por la puerta y la cerró de un portazo a su espalda. Bajó las escaleras a trompicones y casi tiró a tía Nora al suelo.

—¿Qué...? —le preguntó ella.

«¡Pof!»

Todos levantaron la vista.

Fue un sonido fuerte, pesado, sordo.

—Yo me voy al motel Six —juró Judy.

Tía Nora les miró sin convicción.

—Pero bueno, por el amor de Dios...

Empezó a subir la escalera con valentía, Judy y Peter pegados a sus talones. Tía Nora asió el picaporte y abrió la puerta.

«¡POF!»

El ruido sonó más fuerte que el anterior. Y más cerca.

Tía Nora cerró precipitadamente la puerta y se alejó deprisa y corriendo.

—Bueno, mañana pediré a alguien que suba a echar un vistazo.

Esa noche, Judy oyó otro ruido, en la cama, antes de conciliar el sueño.

Volvía a sonar en el desván. Pero no era un golpe sordo. Ya no sonaba como si hubiera alguna criatura allá arriba.

No, parecían tambores.

Pues ella no pensaba subir allí sola por la noche. Judy se bajó de la cama y echó a correr hasta el cuarto de Peter. Los tambores se callaron.

Peter también estaba despierto, contemplando una foto de sus padres, que escondió en el cajón de la mesilla de noche cuando apareció Judy.

—Déjame sitio —le pidió la niña, metiéndose en la cama con él—. ¿Has oído algo hace un momento?

Peter frunció el ceño.

—Yo tampoco —exclamó Judy rápidamente.

Guardaron silencio; escuchaban el canto de los grillos y el ronroneo de un coche al pasar.

—Echo de menos a papá y mamá —dijo Peter al fin—. ¿Y tú?

—Yo no —contestó Judy en voz baja.

—Mentirosa. Si no dejas de decir mentiras, acabarán mandándote a un psiquiatra.

—¿Y qué crees que te va a pasar a ti si sigues negándote a hablar?

Peter frunció el ceño y se dio media vuelta.

Judy se sentía fatal. Sabía que había sido demasiado dura con Peter. En momentos como aquél, era lo único que tenía en el mundo.

Hundió la cara en la almohada y abrazó a su hermano. Poco a poco, empezaron a cerrársele los ojos.

Y entonces retumbaron de nuevo los tambores.

Judy abrió bruscamente los ojos. Había algo allá arriba. Algo muy raro.

A menos que fueran imaginaciones suyas. Shock postraumático o como lo llamaran.

Pensó en despertar a Peter, pero decidió no hacerlo.

El exterminador iría al día siguiente. Tal vez encontrara una vieja grabadora. O una familia de murciélagos cantores. Si no, Judy pensaba planear medidas drásticas.

Una familia adoptiva en Siberia sería una alternativa estupenda.

Judy no sabía cómo se las había arreglado para dormirse del todo. Pero debieron de dormirse los dos, porque cuando sonó el timbre de la puerta por la mañana, los despertó.

Era el exterminador, justo a tiempo. Mientras tía Nora le escoltaba hasta el desván, Judy y Peter desayunaron deprisa y se lavaron. Para enseñarle al hombre cómo eran los murciélagos, Peter buscó la entrada «Murciélagos del mundo» en la enciclopedia.

Después, Judy y él subieron al desván y esperaron el veredicto del exterminador, junto a la puerta cerrada.

Después de fisgonear por allí un rato, el hombre emergió y les dedicó un encogimiento de hombros amistoso.

—No se ve guano.

Peter le tendió la enciclopedia abierta y le señaló una fotografía.

El exterminador chasqueó los labios.

—Eso es un murciélago africano, hijo. En Nueva Inglaterra no hay murciélagos de esa clase.

—Pues es como el que vimos —insistió Judy.

—Bueno, fuera lo que fuera, ya no está —repuso el exterminador—. De todos modos, yo no me preocuparía precisamente por los murciélagos en esta casa.

Su comentario se quedó suspendido en el aire, como un olor extraño.

—Y entonces, ¿de qué se preocuparía usted? —le preguntó Judy.

—La verdad, no me gustaría vivir en una casa donde se ha cometido un asesinato.

Judy y Peter se miraron de reojo.

—¿Un asesinato? —repitió Judy.

—Sí. El pequeño Alan Parrish. Desapareció por las buenas, hace como veinticinco años.

Unos dijeron que había sido un secuestro, pero nadie reclamó dinero ni nada. Yo opino que fue su padre. Y además es una pena, porque la familia Parrish antes era muy importante por aquí. Pero el hombre tenía problemas con su hijo y un buen día lo perdió. Seguro que de no haber sido un Parrish, la policía habría desmantelado esta casa en busca de restos... Pero como la familia era dueña prácticamente de todo el pueblo, recibieron un trato especial. —El exterminador regresó al desván y echó un vistazo en torno, aguzando la vista—. Aquí hay mil sitios donde esconder un cadáver, sobre todo si lo hizo pedazos y los emparedó...

Judy notó cómo se le revolvía el desayuno en el estómago. ¡Pues menuda historia tenía la casa!

—¡Eh, vosotros! —les gritó tía Nora desde el piso inferior—. ¡No querréis llegar tarde al cole el primer día!

—Señora, ni un murciélago a la vista —anunció el exterminador.

Tía Nora sonrió.

—¿Veis, niños? No tenéis por qué asustaros...

«Fantástico», pensó Judy.

Trozos de cadáver en las paredes. Golpetazos en el desván. Murciélagos gigantes que desaparecían. Tambores de la selva.

Nada que temer en absoluto.

9

Ojos. Ésa fue la primera impresión de Judy sobre su aula de octavo en la escuela de Brantford. Docenas de ojos que la miraban. Que la evaluaban. Con ganas de averiguar todos sus secretos.

Aunque hacía fresco, a Judy se le pegaba a la piel el cuello sudado de la camisa.

Su profesora, la señorita Kiely, le sonrió como si fuera una preciosa muñeca de trapo.

—Niños —anunció la señorita Kiely—, este año tenemos a una alumna nueva, de Filadelfia. Judy, ¿por qué no te levantas y nos hablas un poco de ti?

Judy inspiró hondo.

Los ojos de los demás empezaron a abrasarla. Su corazón era como un caballo al galope.

—Pues... me llamo Judy Shepherd, y mi hermano y yo acabamos de mudarnos a Brantford, con mi tía, porque... —Su cerebro le ordenó: «¡a por ellos, hazlo bien!»— porque nuestros padres fueron secuestrados por la guerrilla maoísta en Papúa Nueva Guinea, donde estaban investigando esos nuevos virus del bosque pluvioso. Les advirtieron que no fueran allá porque la situación política era muy inestable, pero ellos pensaron que era su deber, en nombre de la ciencia...

La sonrisa de la señorita Kiely se evaporó. Pero Judy no había hecho más que empezar.

A la hora del recreo, ya había añadido varios capítulos a la historia. Y logró atraer a un nutrido público del patio... incluido Peter.

—... Así que, a causa de la naturaleza confidencial de su trabajo —explicaba Judy, adornando la historia— la misión de rescate ha sido aplazada hasta que el Departamento de Estado encuentre el modo de mantener las cosas en secreto.

Judy observó radiante a su audiencia. Detrás del grupo, Peter miraba con solemnidad al suelo.

—Y si estaban tan preocupados por el secreto —le preguntó una niña—, ¿por qué te lo dijeron a ti?

—¡Es mentira! —gritó un chico fornido, con una sonrisa afectada—. Mi madre les ha vendido la casa y me lo ha contado todo. Sus padres no son científicos. ¡Han muerto!

Peter levantó la cara, rojo como la grana. Se abalanzó sobre el chico, soltando puñetazos.

—¡Peter! ¡No! —gritó Judy.

Demasiado tarde. Peter clavó los dientes en el brazo de su torturador.

—¡Ayyy! —gritó éste—. ¡Me ha mordido!

Mientras el chaval huía llorando, Peter enseñó los dientes y miró desafiante a los demás niños.

—¡Muerde! —le echó en cara una niña.

—¡Se creerá un animal! —soltó otra.

Judy ya estaba harta. Agarró a su hermano del brazo y se lo llevó de allí. Cuando regresaban al edificio del colegio, los pitidos y los abucheos resonaron por todo el patio.

Esa noche, mientras cenaban, tía Nora estaba furiosa.

—¡Es increíble que tenga que ir a ver al director después de vuestro primer día de clase! ¿Qué voy a hacer con vosotros? Es que no tengo ni idea.

—Es mejor que nos castigues —le sugirió Judy—. Probablemente deberías dejarnos encerrados sin salir.

—¿Ah, sí? —replicó tía Nora, frunciendo el entrecejo—. ¡Muy bien, pues los dos, castigados! Y ahora, intentemos tranquilizarnos, terminemos de cenar y hablemos de otra cosa.

Siguieron comiendo en silencio.

—Bueno —dijo finalmente Judy—, ya hemos averiguado por qué has conseguido la casa tan barata. Hace veinticinco años vivía aquí un niño llamado Alan Parrish. Y un día desapareció. La policía lo buscó por todas partes, pero no lo encontraron, porque sus padres lo habían despedazado y después escondieron los trozos en las paredes. Toda la ciudad cree que la casa está encantada.

El tenedor de tía Nora cayó con estrépito en su plato.

—¡Muy bien! Ya estoy más que harta de tus mentiras, señorita. ¡Estás castigada!

—Eso ya lo has dicho antes —le recordó Judy.

Esperó a oír el siguiente castigo, pero tía Nora sólo se la quedó mirando, farfullando.

—Bueno, mándame a mi habitación —le dijo Judy.

Sin apenas fuerzas, tía Nora asintió.

Judy se levantó de la mesa y se alejó. Al ir a cruzar la puerta del comedor, le dijo:

—Aunque, para que lo sepas, eso no era mentira.

A la mañana siguiente, Judy y Peter esperaban taciturnos en el vestíbulo a que pasara el autocar del colegio. Tía Nora iba y venía muy ajetreada por la planta baja, vestida para un día de reuniones de trabajo.

—Os dejo en la nevera algo para picar cuando volváis del colegio —les dijo—. Si me entretienen en la oficina de autorizaciones municipales, ya os llamaré.

«Pum, papa puuum...»

Judy se volvió en redondo hacia el sonido procedente de arriba.

Se dio cuenta de que Peter hacía lo mismo. ¿Lo habría oído? ¿O sólo reaccionaba por su gesto?

—¿Me habéis oído? —les preguntó tía Nora—. ¡Eh! Bueno, acaso debiera esperar a que llegara el autocar del colegio. ¿Os esperaban vuestros papás hasta que os montabais en el autocar?

—No —contestó Judy.

—¿Estás segura? Pareces distraída.

¿Es que no lo oía? Judy no podía creérselo. Los tambores resonaban, pero tía Nora no parecía oír nada.

Judy se dirigió a la puerta delantera y la mantuvo abierta.

—¡No te preocupes, no pasará nada!

Tía Nora se la quedó mirando dubitativa.

—En fin... sed buenos.

Consultó el reloj y se metió en el coche.

Judy cerró rápidamente la puerta. Los tambores se callaron.

—¿Los has oído? —le dijo a Peter.

—¿Oír... el qué? —le preguntó él.

«Pum, papa pum, pum...»

De acuerdo, los oía. Tenía los pelos de punta.

Dieron media vuelta y se lanzaron escaleras arriba.

Pero cuando llegaron al pie de la escalera del desván, los tambores guardaron silencio otra vez.

Judy tragó saliva. Peter, agitado, respiraba aceleradamente; sus jadeos cortaban el silencio.

La puerta del desván estaba levemente entornada. Despacio, uno junto a otro, Judy y Peter iniciaron el ascenso.

Judy empujó un poco la puerta para abrirla. El sol de la mañana se colaba por las ventanitas de la buhardilla, sumiendo los trastos viejos en una grisura morbosa llena de sombras.

—¿De dónde saldrían? —preguntó Judy mientras se adentraba lentamente en el desván.

Peter hizo un gesto negativo con la cabeza, y tomó por el otro lado.

Las tablas del suelo crujieron bajo su peso.

«¡Pom! ¡Popo pom! ¡Pum! ¡Pa pum!»

Judy pegó un grito tan tremendo que le dolió la garganta.

Tenía la respuesta: estaba justo a su espalda, sobre una pila de juegos viejos.

Peter se acercó corriendo.

Los dos niños empezaron a revolver, buscando el origen del sonido; apartaban cajas, guantes de béisbol, raquetas de tenis... Cuantas más cosas quitaban más fuertes se oían los tambores.

Cuando llegaron al fondo, el ruido era ensordecedor.

Y sólo quedaba una caja.

Una caja preciosa, de madera, que decía: «Jumanji.»

10

—Oye... —murmuró Judy.

Los tambores se habían callado otra vez y Peter había abierto el tablero del juego sobre una vieja cómoda.

Los dos hermanos estaban mudos de admiración. La pintura, el círculo negro, los delicados grabados: era todo tan real...

Había dos peones negros en el tablero, uno en

la sexta casilla de un recorrido y el otro en la quinta de otro. Peter intentó cogerlos.

—¡Qué raro! —exclamó—. Están pegados...

Sacó los dados y los otros dos peones del compartimento lateral. Mientras él los examinaba, Judy leyó en voz alta las instrucciones:

—«Jumanji, un juego para quienes intentan dejar atrás el mundo.»

Los dos peones abandonaron la mano de Peter y fueron a aterrizar en la primera casilla de los dos recorridos vacíos.

Peter lanzó una mirada de pánico absoluto a su hermana.

—Deben de ser... microchips o algo —dijo Judy.

Le arrebató los dados de la mano y los examinó con atención.

—Tú primera —propuso Peter.

Judy tragó saliva.

—De acuerdo.

Tiró los dados sobre el tablero.

Seis y tres. Nueve.

Los tambores empezaron a sonar. Uno de los dos peones avanzó nueve casillas.

Judy y Peter observaron, helados de asombro,

cómo se formaba un mensaje en el círculo negro:

Una picadita puede hacerte rabiar,
escocer, retorcerte o estornudar.

Mientras las letras desaparecían, los chicos oyeron un leve zumbido por encima de la cabeza.

Tres mosquitos volaban hacia ellos. Mosquitos del tamaño de palomas, con un aguijón como un cuchillo.

Judy cogió una raqueta de tenis y la blandió. Con un golpe certero, lanzó uno de los mosquitos contra el cristal de una ventana, que se rompió. Los otros dos mosquitos salieron volando tras el primero.

Peter recogió los dados y se los quedó mirando con mucha curiosidad. Después los agitó.

—¡No lo hagas! —le advirtió Judy.

Demasiado tarde.

Ojos de serpiente. Uno y uno.

El último peón se adelantó dos casillas. Y apareció otro mensaje en el círculo:

No será nada fácil la misión:
los monos retrasarán la expedición.

Un estrépito sonó en el piso de abajo.

—¿Qué ha sido eso? —preguntó Judy.

Peter y ella salieron corriendo. Mientras bajaban a toda prisa las escaleras, oyeron otro estrépito idéntico al primero.

Procedía de la cocina.

Irrumpieron atropelladamente en la planta baja. Los porrazos y los estallidos eran descontrolados; y, de pronto, empezaron a oírse unos gritos espeluznantes.

Judy abrió la puerta de la cocina.

Monos...

Habían invadido la cocina. Por lo menos habría una docena. Uno le lanzaba tazas de porcelana a otro, que intentaba darles con el cazo de la sopa. Otros desvalijaban la nevera, tirándose la comida unos a otros, vertiendo la leche.

«¡Tchack!»

Un cuchillo de cocina se clavó en el marco de la puerta. Peter retrocedió de un brinco. En el otro extremo de la cocina, un mono impúdico inició un segundo intento, esa vez con un cuchillo de mechar carne.

Ya era hora de irse de allí. Judy y Peter regresaron al desván a toda prisa, a bucear en el tablero.

Frenética, Judy repasó las instrucciones:

—«Bienvenidos al safari...» Veamos... «Eche los dados para mover el peón... los dobles dan derecho a otra jugada... gana el primer jugador que alcanza la meta y grita "¡Jumanji!" y...» —De repente, Judy palideció—. Oh, ah... «Advertencia a los aventureros: no empiecen si no piensan terminar. Las excitantes consecuencias del juego sólo se desvanecerán cuando un jugador alcance Jumanji y grite su nombre.» ¿Quéeee?

Un portazo muy fuerte la hizo sobresaltarse. La puerta principal.

Se acercaron corriendo a la ventana rota. Por ella vieron que los monos salían desfilando de la casa, de dos en dos, y se diseminaban en todas direcciones, calle abajo.

Qué cosas más raras. Peter se arrodilló junto al tablero y empezó a cerrarlo.

—¡Espera! —exclamó Judy—. Las instrucciones dicen que si acabamos el juego, todo volverá a la normalidad. Más vale que terminemos, porque si no, a tía Nora va a darle un ataque.

Pero Peter no estaba demasiado de acuerdo.

—Sí, hombre, lo haremos deprisa —insistió Judy—. Sin parar de echar los dados. Quiero decir que no hace falta ninguna habilidad.

Peter se lo pensó un momento. Con un suspiro y de mala gana, abrió el tablero y le tendió los dados a su hermana.

—¡No, no! Has sacado dobles —le recordó ella—. Tira otra vez.

Peter echó los dados con mano temblorosa.

El primero sacó un cinco, el segundo un tres.

Ocho.

Mientras el peón de Peter avanzaba, se materializó el mensaje:

Tiene colmillos afilados y le gusta tu sabor;
más vale que huyas y, además, ojo avizor.

—¿Ojo avizor? —repitió Judy.

«Plink.»

Sonó una nota de piano a su espalda.

A Judy se le puso la piel de gallina. Peter y

ella se levantaron lentamente y sus miradas se clavaron en el piano.

Vieron que un rabo se movía por encima de las teclas. Luego, una enorme silueta se enderezó sobre la repisa del piano. Los niños oyeron el horrendo ruido que produjo cuando pisó las teclas para bajarse al suelo.

Tardaron un rato en comprender la realidad.

Porque no solía haber leones en los desvanes. Y menos del tamaño de un autobús.

«¡Grrrroooaaaah!»

Judy y Peter huyeron escaleras abajo.

El león se lanzó desde lo alto de la escalera de caracol, esquivó por los pelos una majestuosa araña de cristal y aterrizó en el rellano del primer piso con gran estruendo.

Se plantó justo delante de Judy y Peter. Parecía muy hambriento.

Los niños escaparon en dirección contraria, soltando alaridos de terror.

Y se encontraron de frente con un hombre de las cavernas, barbudo, con un hacha de sílex en la mano.

Llevaba el pelo largo y enmarañado y su mirada era penetrante y enloquecida. Se cubría con pieles de animales y un sombrero de paja. El hacha parecía de fabricación casera, con el mango de hueso.

—¡Uuuuuh!

Judy y Peter retrocedieron de un salto, tropezando, hacia el león.

El hombre los apartó de un manotazo. Los niños se metieron en un armario de ropa blanca y se agazaparon allí.

El hombre y el león se miraron, tensos e inmóviles. Prorrumpiendo un gruñido, el hombre lanzó el hacha. El arma se clavó en el suelo, a los pies de la fiera.

El león saltó a la garganta del hombre. Judy, que atisbaba por la puerta del armario, se encogió.

Pero el hombre tomó impulso y, de un salto increíble, se agarró a la lámpara del techo.

El león aterrizó sobre la alfombra del pasillo, resbaló y se coló justo por la puerta del dormitorio de tía Nora.

El hombre se descolgó de la lámpara, echó a correr hacia la puerta y la cerró de una patada. El león empezó a rugir. Después, con un crujido terrorífico, cinco garras traspasaron la madera.

Sin perder la puerta de vista, el hombre retrocedió por el pasillo. Empezó a cambiarle la cara, se le ablandó la expresión. Examinó las paredes, la lámpara, las puertas, con una extraña expresión de... ¿asombro? ¿Extrañeza? ¿Miedo? ¿Hambre? Judy no supo definirla.

Recorrió todo el pasillo hasta la puerta del fondo, la que tía Nora no había podido abrir. Forcejeó el picaporte un momento y después le pegó un patadón.

La puerta se abrió y golpeó contra la pared del cuarto. El hombre se coló dentro, mirando a su alrededor.

Judy y Peter salieron del armario de la ropa blanca. Arrimados a la pared, se acercaron de puntillas a la habitación y se asomaron por la puerta abierta.

Como el resto de la casa, estaba llena de cosas. Pero a diferencia del resto de la casa, no había sábanas protectoras. Un escritorio, una cama, carteles con deportistas en la pared, estanterías... todo cubierto de una espesa capa de polvo, exactamente como la habría dejado la familia al marcharse.

«El cuarto de Alan Parrish...», pensó Judy.

Y sintió una punzada de pena por aquel chico desconocido.

El hombre peludo estaba junto a una vieja bicicleta Schwinn, apoyada en la pared. Pasó los dedos por el cuadro, dejando un rastro en el polvo.

A pesar de la apariencia salvaje, su caricia parecía dulce y afectuosa.

Después se dirigió al fondo del cuarto y abrió un armario, lleno de ropa de chico. Toqueteó una camisa ajada, con manchas oscuras, colgada en una percha. Luego, como en un trance, se dirigió a la cómoda y contempló una fotografía de un hombre y una mujer, sonrientes.

Se la quedó mirando mucho rato y después se contempló en el espejo que había encima de la cómoda.

De repente se volvió y miró a Judy y Peter.

Movió los labios. Al principio, no logró emitir sonido alguno. Después habló, con torpeza y la lengua muy trabada, pero en inglés. Judy y Peter se le acercaron para oír lo que decía.

—¿Ha zzzacado aaalguien... un cinco o un ocho?

11

«¿Un cinco o un ocho?»

Peter tragó saliva, relajó los músculos del cuello y asintió.

—¡Aaaaaah!

Con un alarido ensordecedor, el hombre se le echó encima.

Peter gritó, pero no le dio tiempo a escaparse. El hombre lo levantó en vilo, empezó a dar saltos y vueltas y a bailar con alegría. Se reía.

Peter estaba petrificado. ¿Sería alguna especie de danza ritual? ¿Una danza tribal antes del sacrificio?

De repente, el hombre lo dejó en el suelo. Su sonrisa de éxtasis se ensombreció. Con reflejos felinos, bajó las escaleras hasta la planta baja.

Judy y Peter le siguieron corriendo. El cavernícola entraba y salía de las habitaciones, como buscando algo, enloquecido.

—¡Papá! ¡Mamá! —gritaba—. ¿Dónde estáis? ¡Ya he vuelto!

Peter se quedó boquiabierto.

Judy le miró entornando los ojos.

—Usted no será... Alan Parrish, ¿verdad?

El hombre se volvió.

—¿Quiénes sois vosotros?

—Yo soy Judy y él, Peter. Vivimos aquí. La casa lleva muchos años deshabitada. Todo el mundo creía que se había muerto.

Alan Parrish se la quedó mirando con una expresión de desconcierto.

Judy calculó que tendría más o menos la edad de tía Nora, o tal vez era algo mayor, pero tras la expresión confundida de sus ojos se reflejaba un alma de niño.

—Entonces... ¿dónde están mis padres? —preguntó, vacilante.

Judy y Peter cruzaron una mirada.

—No lo sabemos, lo siento —le contestó Judy, con dulzura.

Sin decir una palabra más, Alan se dio media vuelta y se dirigió a toda prisa a la puerta principal.

Judy y Peter le siguieron. Alan corrió por el césped y luego regresó a contemplar la casa, asombrado. Con las pieles ondeando al viento, retrocedió hasta la calle.

«Scriiiiich...»

Un coche patrulla de la policía derrapó al intentar esquivarle. Alan saltó por los aires, dando una voltereta.

Aterrizó sobre el capó con un golpe sordo.

Un oficial de policía se apeó precipitadamente del coche. Era un hombre de color, muy fornido, con canas en las sienes. Y no parecía divertido.

—¡Bájese de mi coche! —le ordenó.

Alan saltó a la calzada.

—Súbase a la acera —añadió el policía, examinando atentamente el capó de su coche.

Por lo que podía ver Judy, Alan no le había causado ningún daño, pero el oficial limpió con la bocamanga la huella de los pies de Alan. Era un hombre muy detallista.

Alan se inclinó sobre el hombro del oficial. Parecía asombrado por el aspecto del coche.

—¿De qué año es? —preguntó.

—¡Está recién estrenado! —replicó el policía.

—No... quiero decir, ¿en qué año estamos?

El policía miró furioso a Alan, como si estuviera chiflado. Judy se adelantó enseguida, para decir:

—Pues mil novecientos noventa y cinco...

—¿Tiene usted algún documento de identidad? —le preguntó el oficial, preso de dudas, y observando el atuendo de Alan.

Pero Alan murmuraba por lo bajo:

—Noventa y cinco menos sesenta y nueve... ¿veintiséis años?

—Ya sé, lo lleva en los otros pantalones, ¿eh? —gruñó el policía—. ¿Es usted de por aquí?

—Sí —respondió Alan—, pero he estado en Jumanji.

—Indonesia —intervino Judy—: Ha estado en las Fuerzas de Pacificación.

Alan tenía la vista clavada en la insignia del policía, que rezaba: «Bentley».

Escrutó la cara del hombre, de repente tan familiar.

—¿Carl Bentley?

El oficial Bentley se volvió hacia Judy:

—¿Es pariente vuestro este hombre?

—Sí señor —mintió Judy—. Es... tío nuestro.

Y entonces, dos monos de Jumanji aparecieron por la calle, por la espalda del oficial Bentley, y treparon a su coche.

Alan los vio. Apretó los dientes y después soltó un feroz rugido leonino.

El oficial Bentley se giró, pero los monos ya habían saltado al suelo del coche.

—¿Está bien de la cocorota? —le preguntó el oficial Bentley a Judy.

—Bueno, sufrió una herida en la cabeza hace unos meses... —le respondió Judy—. Ya sabe, cuando uno viaja en tren, no debe arrojar objetos por la ventanilla. Y...

«¡Rrrrrrruuuum!»

El coche patrulla arrancó. Mientras se alejaba del bordillo, un disparo abrió un agujero en el tejadillo del vehículo.

El automóvil se alejó sobre dos ruedas, al tiempo que una risa estridente invadía la calle.

—¿Qué...?

El oficial Bentley echó a correr detrás de su coche, gritándoles por encima de sus hombros:

—¡No se muevan de ahí...!

Alan arrancó de inmediato en dirección opuesta.

—¡Eh, espera un momento! —le gritó Judy—. ¿Dónde vas?

—¡A buscar a mis padres!

—¡Eh! ¿Y el juego? —insistió Judy—. ¡Dice que hay que terminarlo!

—¡Pues id a acabar! —le gritó Alan, y desapareció por una esquina.

Judy y Peter echaron a correr tras él. Por mitad de la manzana, se cruzaron con el cartero. Estaba parado en medio de la acera y estornudaba como un loco, intentando desesperadamente rascarse la espalda.

Judy y Peter le miraron, y por poco pierden de vista a Alan. Pero al final lo alcanzaron, a todo correr, en Main Street.

Alan se había parado, petrificado, en la encrucijada con Elm. La plaza del pueblo era un batiburrillo infecto de casas de empeño, tiendas de licores y restaurantes baratos. Muchas de las fachadas de las tiendas estaban tapiadas con tablas rotas. Del otro lado de la calle, el esqueleto de un coche mostraba sus entrañas oxidadas. El viento levantaba pequeños remolinos de basura y papeles.

Alan se bajó de la acera en el cruce, como si intentara recordar algo. Una pandilla de motoristas forrados de cuero negro pasó zumbando por su lado, y a punto estuvieron de atropellarle.

Alan regresó de un brinco a la seguridad de la acera. Después echó a correr hacia el centro de la plaza y se detuvo al pie de un viejo monumento. Bajo los garabatos de grafito, el nombre del general Angus Parrish era casi invisible. Una lata de cerveza estaba empalada en la espada enhiesta del general.

—¿Pero qué ha pasado? —Alan hablaba solo.

De repente dio como una espantada y subió a toda prisa por Mill Road, dejando la plaza atrás. Parecía que volaba, sin el menor esfuerzo, a un trote demasiado rápido para Judy y Peter.

Resoplando y sin resuello, lo alcanzaron cerca de un solar en obras, abandonado, junto a un ajadísimo mojón de granito.

La obra no era más que un inmenso agujero. Unas cuantas estructuras de cemento sobresalían entre las zarzas y las malas hierbas. Algunos arbolillos habían crecido en el fondo. Era como si los obreros hubieran dejado el tajo un buen día y ya no hubieran regresado nunca.

Judy esperaba que aquel lugar fuera el final de la búsqueda de Alan.

Pero Alan continuó y se dirigió a una arruinada fábrica de ladrillo, al otro lado de un aparcamiento vacío e invadido de hierbajos.

Delante de la nave, atravesado por agujeros de

bala, había un cartel: «Calzados Parrish: cuatro generaciones de calidad».

Alan parecía desolado. Se le humedecieron los ojos y se le ensombreció la mirada mientras cruzaba la puerta de la fábrica.

En la penumbra, los bultos oxidados de la maquinaria parecían esqueletos de dinosaurios. Los pájaros volaban entre las vigas, donde se veían sus nidos. Por los agujeros abiertos en el tejado se colaba el agua de la lluvia, que había formado grandes charcos, incrustados de cal.

Alan se agachó a recoger una caja vieja y chafada. Apenas podía leerse en ella el desvaído logotipo «Calzados Parrish». La abrazó contra su pecho como un pajarillo herido.

—¿Dónde están todos? —preguntó—. Aquí trabajaban cientos de... —Se volvió hacia Judy y Peter—. Mi padre fabricaba zapatos. Aquí. Los mejores zapatos de Nueva Inglaterra.

Alan levantó la vista hacia la puerta de un despacho en un altillo. Después subió por las escaleras de metal de dos en dos.

El rótulo «Sam Parrish, presidente» todavía se leía en el cristal esmerilado. Alan distinguió la silueta de un hombre con los pies encima de la mesa y las manos detrás de la cabeza. Sostenía una pipa en la boca.

A Alan se le iluminó la cara de alegría. ¡Estaba vivo!

Y abrió la puerta con impaciencia.

12

El hombre de la silla se volvió.

Tenía el pelo blanco, la cara chupada y una barba entrecana de dos días. En el suelo, a su lado, entre montones de basura, había un catre. Contra la pared se veía un fogoncito de butano, con un cazo de agua hirviendo.

Alan casi se derrumbó.

—Lo siento, le he confundido con otra persona.

El rostro le resultaba completamente desconocido. Era un desposeído que se había refugiado en las viejas oficinas. Y estaba sentado a la mesa del despacho del señor Parrish.

Alan se volvió para marcharse, pero luego cambió de opinión. Miró esperanzado al vagabundo.

—¿Sabe lo que ocurrió con la fábrica de zapatos?

Al ver el aspecto desaseado de Alan, el vagabundo pareció relajarse.

—La cerraron, como todo lo demás, en este dichoso pueblo. —Le ofreció una taza de café—. Hace frío. ¿Quieres un poco?

Alan negó con la cabeza.

—¿Y qué pasó con los Parrish? —insistió.

—Cuando el chico se escapó de casa, invirtieron todo lo que tenían en buscarle —le explicó el viejo—. Su dinero, su tiempo, todo. Al cabo de un tiempo, Sam dejó de ir a trabajar. Le daba todo igual. Algunos de nosotros intentamos que esto siguiera funcionando, pero supongo que no teníamos la madera de los Parrish.

Revolvió en una pila de ropa vieja y sacó unos ajados pantalones de safari, de poliéster, tan asquerosos que Judy casi se echó a reír.

—Toma —le dijo el vagabundo—, te irán bien con ese abrigo.

Alan se los puso, ausente.

—¿Y siguen por aquí los Parrish?

—Sí —contestó el hombre con una extraña sonrisa—. Viven en Adams Street.

Alan salió del despacho, radiante de alegría.

A Judy le dolían las piernas de tanto correr. Peter y ella lo siguieron a la calle, pero lo perdieron en el polvo de Mill Road.

Por fin lo encontraron en Adams Street, justo al lado de la plaza del pueblo.

Estaba de rodillas, delante de dos lápidas, en el cementerio. Cuando se le acercaron, Judy leyó los nombres grabados en el mármol: «Samuel Alan Parrish, 18 de junio de 1921 — 6 de mayo de 1991» y «Carol Anne Parrish, 20 de noviembre de 1930 — 19 de agosto de 1991».

Judy y Peter se mantuvieron a una respetuosa distancia. Alan se enjugó los ojos y colocó delicadamente el sombrero de paja sobre la tumba de sus padres.

Al advertir la presencia de Judy y Peter, ocultó la cara entre las manos y exclamó:

—¡Ojalá esta familia no existiera!

—Nuestros padres también han muerto —afirmó Judy con dulzura—. Estaban en Oriente Medio, negociando la paz, cuando...

Peter le hincó el codo. Se acercó a Alan y pronunció las primeras palabras que decía a alguien desde el accidente, aparte de Judy.

—Papá trabajaba en publicidad.

Alan y Peter se quedaron mirándose. Ninguno de los dos pronunció una palabra durante un buen rato.

Después Alan se levantó y se alejó.

—Ya estamos otra vez —dijo Judy—. Vamos.

Alan ya no corría, pero los niños tenían que trotar para alcanzarle el paso. Lo siguieron por un sendero que serpenteaba por el viejo cementerio.

—Oye —le llamó Judy—, ya sé que estás disgustado, pero me gustaría que nos ayudaras a terminar el juego a mi hermano y a mí.

—Lo siento —soltó Alan.

Pasaron junto a una mujer arrodillada con toda solemnidad junto a una tumba. Peter advirtió que se rascaba como una loca.

Igual que el cartero. Qué raro...

—Podrías ser un poco más agradecido —insistió Judy—. Al fin y al cabo, sin nosotros, aún seguirías allí.

—Estaré eternamente en deuda con vosotros

por haberme sacado —respondió Alan—, pero sería una tontería espantosa que volviera a caerme allí dentro, ¿no crees? ¡No! Tengo que recuperar muchas cosas perdidas.

—¡Hay un león en el dormitorio de mi tía! —protestó Judy.

—¡Pues llama a algún zoológico! Lo mío no son los leones —exclamó Alan.

Cuando salían del cementerio, una ambulancia subía por Main Street con la sirena en marcha. Los coches se arrimaban al bordillo, a derecha e izquierda.

Menos uno. Era un descapotable que iba haciendo eses de lado a lado de la calle.

Alan, Peter y Judy se detuvieron a mirar. La ambulancia dio un bandazo y el coche se desvió en la misma dirección.

«Ñiiiii...»

Los neumáticos chirriaron y el coche y la ambulancia chocaron de lado con gran estrépito de metales aplastados.

Después se pararon con una sacudida contra el bordillo.

Las puertas de la ambulancia se abrieron y dos sanitarios se apearon con rapidez. Uno de ellos se dirigió a la parte trasera en busca de una camilla. El otro corrió hacia el coche, abrió la portezuela del conductor y sacó a una mujer.

Vieron que se rascaba violentamente, estremeciéndose y retorciéndose. Tenía la cara amarillenta, casi verdosa, cubierta de una capa de sudor.

—¡Ya tenemos a otra, Larry! —exclamó el camillero.

—¡Ya son más de cincuenta! —le respondió el otro, mientras colocaba la camilla al lado de la mujer—. ¿Pero qué está pasando aquí?

Mientras los dos hombres tendían a la mujer en la camilla, ella echó la cabeza hacia atrás y estornudó.

Judy la reconoció enseguida. Era la señora Winston, la agente inmobiliaria.

—¡Eh! ¿No es...?

—¡Cállate! —le espetó Alan. Después ladeó la cabeza, con una expresión de concentración en la cara—. ¿No lo oyes?

—¿El qué? —preguntó Judy.

Judy y Peter escucharon con atención, pero no oyeron nada anormal. Sin embargo, Alan tenía los ojos desorbitados de pánico.

Empujó a los dos niños hacia el coche de la señora Winston.

—¡Deprisa! ¡Montaos!

Entraron por la portezuela del conductor y se apiñaron los tres en el asiento delantero. Alan cerró de un golpe y cogió el volante.

—¡Pensad! ¿Qué salió del juego antes que yo? —les apremió.

—Pues el león —contestó Judy—, un montón de monos y...

Un mosquito gigantesco cayó del cielo sobre el capó del coche.

—¡Eso! —gritó Peter.

«Tap, tap tap, tacatat...»

El mosquito golpeaba el parabrisas con su aguijón.

—No os preocupéis, no puede cogernos aquí dentro —les aseguró Alan con una sonrisa de astucia—. No nos pasará nada.

«¡Raaasp!»

El mosquito rasgó la capota del coche con su aguijón. Judy y Peter chillaron.

Los dos niños se agazaparon bajo el salpicadero mientras el mosquito hurgaba un momento y luego se retiraba.

—Estamos a salvo —les tranquilizó Alan—. Esos bichos son muy peligrosos si te pican, pero si nos vamos a casa y nos encerramos no nos pasará nada.

«¡Zzzzzz! ¡Chack!»

El mosquito se lanzó en picado contra el parabrisas, que estalló.

—¿Ah, sí? —la pregunta de Judy era un grito de angustia.

Alan examinaba el eje del volante, que tenía las llaves puestas, cuando preguntó:

—¿Alguno de los dos sabe conducir?

Los niños negaron con la cabeza.

—Bueno, bueno, no pasa nada. Hacedme sitio. Mi padre me dejó llevar el coche un día por el aparcamiento de la fábrica y además me sentaba muchas veces en su regazo y me dejaba llevar el volante. Ha pasado mucho tiempo, pero...

Dio al contacto y el coche se puso en marcha.

—¡Bieeen! —exclamó Alan—. ¡Adelante!

Judy y Peter se abrocharon a toda prisa el cinturón de seguridad.

Alan apretó el acelerador. El motor emitió un fuerte rugido, pero el coche no se movió.

Alan probó apretando un botón, a la izquierda del volante. No ocurrió nada. Intentó con una palanca. El limpiaparabrisas empezó a mecerse de un lado a otro. Apretó una tecla. Sonó la radio. Otro botón. La capota empezó a abrirse.

—¡Alan! —gritó Judy—. ¡La capota!

Mientras la capota se doblaba con toda nitidez sobre sus cabezas, Alan se quedó inmóvil, atontado.

«Zzzzzz...»

Judy miró hacia arriba. El mosquito caía en picado a toda velocidad.

Judy hizo lo único que pudo.

Cerrar los ojos y chillar.

13

Peter se inclinó hacia ella y movió la palanca de cambios hacia delante sin darse cuenta.

El coche arrancó bruscamente, con un chirrido de neumáticos.

Judy abrió los ojos y miró hacia atrás. El mosquito se estrelló en la capota y rebotó.

Alan dio un violento golpe de volante. El coche se subió a la acera, en dirección a una señal de stop.

Judy y Peter se abrazaron. Con el encontronazo, salieron disparados hacia delante.

El poste de la señal se dobló y cayó al suelo. Alan siguió adelante, haciendo eses por la calle, de una acera a la otra.

Después torció por Jefferson Street.

«¡Ñiiii...! ¡Crack!»

La valla del vecino se vino abajo.

«¡Ñiiii...! ¡Chonk!» El buzón de la casa de Judy y Peter.

Alan pisó el freno a fondo. Judy creyó que el cinturón de seguridad iba a cortarla en dos. Peter y ella se agarraban al salpicadero.

El coche se detuvo al fin con brusquedad junto al bordillo.

Alan soltó una exhalación.

—Esto es pan comido —dijo, mientras apagaba el motor.

Se bajó del coche y se metió en la casa.

De momento, Judy y Peter no pudieron ni

moverse. «Viva. Estoy viva», repetía Judy mentalmente como para convencerse.

Poco a poco, los dos niños despegaron las manos agarrotadas del salpicadero.

Encontraron a Alan en la buhardilla. A sus pies yacía un baúl lleno de ropa de hombre. Se había plantado ante un espejo y sostenía una arrugada camisa frente al pecho. Parecía estar examinando su talla... pero también la admiraba con mucho cariño. Extraviado en su propio mundo.

Debía de haber pertenecido a su padre, comprendió Judy.

Sintió una punzada de tristeza y pensó en dejarlo solo, pero advirtió el tablero de Jumanji en el suelo y recordó su mensaje.

«Las excitantes consecuencias del juego sólo se desvanecerán cuando un jugador alcance Jumanji y pronuncie su nombre en voz alta.» Algunas de esas excitantes consecuencias eran leones, un ejército de monos salvajes, mosquitos asesinos que transmitían una enfermedad insoportable...

Había que terminarlo. Eso era más importante que ninguna otra cosa. Y necesitaban que Alan les protegiera.

Judy levantó el tablero.

—¿Alan…? —pronunció su nombre con ama-
bilidad—. ¿Cuándo vas a venir a jugar con nosotros?

Alan se sobresaltó y se volvió hacia la niña. Al
ver el tablero, retrocedió. A pesar de la penumbra de la buhardilla, Judy vio cómo palidecía.

—¡Aparta esa cosa de mí! —susurró Alan angustiado.

—Pero hemos de darnos prisa… —insistió Judy—. Nuestra tía llegará a casa de un momento a
otro.

Alan recogió algo de ropa del baúl y se dirigió
a la puerta, pasando entre Judy y Peter.

—Muy bien. Entonces le comunicaré que ya
no es propietaria de esta casa. Ya comprenderéis
que, tras la muerte de mis padres, esta casa ahora
me pertenece, ¿verdad?

Y bajó a saltos las escaleras del desván, dejando a Judy y su hermano sin habla.

—¿Cómo va el agua caliente últimamente?
—gritó Alan volviendo la cara—. ¿Ya han cambiado el antiguo calentador?

Sin soltar el tablero de Jumanji, Judy empezó
a correr tras él, con Peter en sus talones. Alan se

coló en el cuarto de baño del primer piso y les cerró la puerta ante sus narices.

—¿Qué crees que van a hacer esos monos en nuestro ecosistema? ¿Me oyes? —le gritó Judy.

Alan empezó a canturrear por encima del ruido del agua al correr y los chasquidos de unas tijeras. Exasperados, Judy y Peter se sentaron en el suelo del pasillo. A su espalda oían los resoplidos del león en el dormitorio de tía Nora, los rasguidos de las sábanas y las cortinas y los porrazos que se daba contra los muebles.

Cuando salió del cuarto de baño, Alan llevaba puesta la ropa de su padre: una camisa chillona y unos pantalones acampanados de los años sesenta. Se había cortado la melena con unos escalones tremendos y su cara afeitada lucía tantos cortes que Judy se estremeció.

—¿Qué quieres? Es la primera vez que me afeito en mi vida —dijo Alan frunciendo el ceño.

Volvió a salir corriendo. Los niños le siguieron escaleras abajo hasta la cocina. Y entonces a Judy se le revolvió el estómago.

Los monos lo habían destrozado todo. Las paredes y el suelo estaban cubiertos de lamparones de comida medio masticada, medio podrida.

Alan recogía cosas de aquí y de allá y las depositaba en un cuenco.

—¿Qué te parece si Peter y yo jugamos y mientras tanto tú nos miras...?

—No, gracias. —Alan descubrió una rosquilla mordida y la añadió a su colección—. Ya lo he visto. Además, lo único que me importa en este momento es comer. Es algo que he aprendido por las duras y las maduras.

—Bueno, pues si no vas a ayudarnos, ¿qué es lo que vas a hacer?

Alan se paró a pensarlo un momento.

—Supongo que seguiré por donde lo dejé —contestó, mientras se dirigía a la puerta de la nevera—. Me pregunto si la señorita Nedermeyer todavía dará octavo...

«¡Iiiiijj!»

Un mono salió de un brinco del frigorífico, temblando y furioso.

Alan retrocedió de un salto y se le cayó el cuenco. El mono volvió a chillarle enfurecido y después se largó.

Alan carraspeó y luego esbozó una sonrisa despreocupada para ocultar su temor. Pero enrojeció de vergüenza.

Eso le dio una idea a Peter.

—Ven, Judy —volvió a hablar—. Alan no va a ayudarnos. Tiene miedo.

—¿Qué? —saltó Alan—. ¿Qué has dicho?

—Que tienes miedo —repitió Peter encogiéndose de hombros—. Pero no pasa nada. Tener miedo es normal.

—¡Yo no tengo miedo! —replicó Alan.

—Demuéstralo.

—No necesito demostrarte nada.

Peter se dirigió a su hermana:

—Vamos al cuarto de estar.

Peter echó a andar hacia la puerta de la cocina, pero Alan se interpuso en su camino.

—Escuchad, no sabéis dónde os estáis metiendo.

—Sea lo que sea, ya nos las apañaremos solos —le contestó Peter—. No te necesitamos. Vamos, Judy.

—¿Creéis que los monos, los mosquitos y los leones son malos? —preguntó Alan con sarcasmo—. No son más que niñerías. Las cosas que he visto podrían causaros pesadillas durante el resto de vuestra vida. Cosas que no os podéis ni imaginar... serpientes tan grandes como autobuses, arañas como bulldogs, fieras que cazan en la selva por la noche... Cosas que no se ven, que sólo se oyen, mientras corren o... comen. ¿Es normal tener miedo? Vosotros no sabéis lo que es el miedo. Creedme, sin mí no duraréis ni cinco minutos.

Peter sostuvo su mirada un buen rato.

—Entonces, ¿nos vas a ayudar a terminar el juego?

Alan soltó un gruñido de enfado y salió a grandes zancadas de la cocina.

—¡Muy bien, de acuerdo!

Judy le dedicó a su hermano una sonrisa de admiración.

—Peter, has estado magnífico.

—Psicología a la inversa —replicó Peter—. Papá siempre lo hacía conmigo.

Se dirigieron al cuarto de estar. Alan estaba allí, corriendo las cortinas. Dejó la habitación medio a oscuras. Cuando se volvió hacia Judy y Peter, tenía la cara desencajada de miedo.

Judy abrió el tablero y recogió los dados. Los peones seguían en su sitio.

—¿Listos?

—Listo —repuso Peter.

—Listo —murmuró Alan.

—Muy bien, allá vamos.

Judy echó los dados sobre el tablero. Todos miraron su peón. No se movió un pelo.

—Vaya, volveré a tirar —y echó los dados otra vez.

Nada.

—Anda, no funciona —dijo Judy.

Alan comprendió de pronto y se transfiguró.

—¡Oh, no! —Se levantó de un brinco—. ¡No te tocaba a ti!

—Sí, empecé yo —le explicó Judy—; luego, Peter tiró dos veces porque sacó dobles. Y ahora me toca a mí otra vez.

—No, mira... —Alan señaló los peones de Judy y Peter—. Si esos dos son los vuestros, ¿de quién son los demás? Uno es el mío. —Hizo una pausa. Su mirada se ensombreció y se perdió—. Estáis jugando la partida que empecé yo en 1969 —añadió.

—¿Entonces, a quién le toca jugar? —preguntó Judy.

—A la chica que jugó conmigo —respondió Alan en voz baja.

—¿Quién era? —insistió Judy.

Alan se acercó a la ventana. Se le humedecieron los ojos mientras miraba a la calle.

—Sarah Whittle —respondió en un susurro angustiado.

14

«Madame Serena. Parapsicóloga. Horas convenidas.»

El rótulo de madera estaba agrietado y alabeado; las letras, casi borradas. Mientras Alan reconocía la antigua casa de los Whittle, se le descompuso la cara de desaliento.

Unos árboles altos, frondosos y nudosos rodeaban la casa, sumiéndola en una oscura sombra. El césped estaba descuidado y habían crecido malas hierbas en las grietas de la entrada de vehículos, que conducía a un destartalado porche.

—Este sitio me pone la piel de gallina —dijo Peter.

—Sabía que ella ya no estaría aquí —añadió Alan con un suspiro.

—Bueno, por lo menos vayamos a preguntar —sugirió Judy—. A lo mejor sabe adónde se fue Sarah.

Se dirigieron a la puerta principal y Judy llamó.

Alan miró en torno con una sonrisa melancólica.

—Jugábamos mucho en este mismo porche. Aunque entonces parecía mucho más grande.

—¿Sí? —una voz femenina sonó a través de la puerta.

—¿Podría usted ayudarnos? —preguntó Judy levantando la voz—. Estamos...

—¿Tienen hora? —le interrumpió la voz.

—No —respondió Judy—, sólo estamos buscando a alguien.

—¡Madame Serena no puede recibirles!

—Bueno, tal vez pueda ayudarnos —intervino Alan.

La puerta se entornó con un gemido. Una mujer los miró, deslumbrada por la luz, con el pelo rubio enmarañado y los ojos hinchados, como si acabara de despertarse.

—Buscamos a una persona que vivía aquí —le comunicó Alan.

—Yo he vivido aquí toda mi vida —replicó la mujer.

—Entonces conocerá a Sarah Whittle.

—¿Por qué... quieren ver a Sarah Whittle?

Alan abrió mucho los ojos.

—¿Sarah?

—Yo... —la mujer vaciló—. Ya no uso ese nombre.

—¿Sarah Whittle? —El nombre brotó de la boca de Alan como un grito de alegría.

Dio un paso hacia ella, sonriendo de oreja a oreja.

Sarah retrocedió.

—¿Qué quiere?

—Cuando tenías trece años, jugaste a un juego con un vecino de esta calle. Un juego con tambores... —le dijo Alan.

—¿Cómo lo sabe...? —Sarah temblaba y no podía controlarse.

—Porque ese chico era yo, Sarah.

Sarah se quedó boquiabierta. Sus ojos soñolientos estaban alerta, muy abiertos.

—¿Alan? —murmuró.

Pero antes de que él pudiera contestar, ella se derrumbó, desmayada.

Alan tardó unos minutos en reanimarla a medias. Le pasó el brazo izquierdo por encima de los hombros, el derecho por encima de los de Judy, y se dirigieron todos lentamente a la antigua casa de los Parrish.

Mientras ella seguía medio inconsciente, Alan fue a la cocina y regresó con un poco de limonada. Después ocultó el tablero de juego debajo de la mesa de café. Más valía ponerla en antecedentes poco a poco.

Tras dar unos sorbitos, Sarah se recuperó. Los dejó a todos plantados y se abalanzó hacia el teléfono del cuarto de estar, donde marcó rápidamente un número.

Sonó un apagado timbrazo por el receptor.

—Sí, doctor Boorstein, soy Sarah Whittle... Creo que necesitaré modificar las dosis. ¿Recuerda el suceso del que llevamos dos décadas hablando? ¿Ese que no llegó nunca a suceder? Bueno, pues parece que estoy sufriendo otro episodio con el mismo niño, que en realidad no desapareció. Estoy sentada en su cuarto de estar bebiendo limonada. Me interesaría mucho conocer su interpretación. Por favor, llámeme en cuanto pueda. Gracias.

Colgó nerviosamente y echó un vistazo a su alrededor.

—Me llamará a menos diez.

—Muy bien... —Alan respiró hondo—. Pues mientras esperamos...

Y se agachó para sacar el tablero de debajo de la mesa.

Sarah se levantó de un salto chillando:

—¡Quítame eso de delante!

—Tienes que ayudarnos a terminar el juego, Sarah —le anunció Judy.

—¡Ah, no! —Sarah se volvió hacia Alan—: He pasado más de doscientas horas de terapia para intentar convencerme de que esto no existe. Me inventé todo aquello de que te convertiste en humo y desaparecías en el juego porque lo que ocurrió en realidad era demasiado espantoso.

—Sí, fue espantoso —afirmó Alan—. Pero real.

—¡No! Tu padre te asesinó, te cortó en pedacitos y te emparedó.

—¿Qué?

Sarah asintió.

—Sarah, tú conocías a mi padre. Si casi no podía ni abrazarme, imagínate, cortarme en pedacitos...

—Bueno, los tipos reprimidos siempre...

—Escúchame: hace veintiséis años empezamos una cosa y ahora tenemos que acabarla. ¿Y sabes qué? —Alan cogió los dados y se los puso en la mano—: Te toca tirar a ti.

Sarah retrocedió.

—¡No pienso jugar!

Alan se le acercó.

—¡Claro que vas a jugar!

—Tú inténtalo —silbó Sarah y enseñó los dientes como un animal al sentirse atacado.

Alan soltó el tablero con furia encima de la mesa baja.

—¡De acuerdo, pues dame los dados y luego lárgate de aquí!

A Judy se le partió el corazón. A su lado, Peter estaba a punto de echarse a llorar.

Alan tendió la mano abierta hacia Sarah. Ella fue a devolverle los dados.

Con un reflejo velocísimo, Alan retiró la mano. Los dados cayeron sobre el tablero.

—¡Aaaagh! —aulló Sarah—. ¿Cómo puedes hacerme esto?

—Lo siento —le sonrió Alan—. La ley de la selva.

Empezaron a sonar los tambores, bajos y amenazadores. El peón de Sarah avanzó por el sendero.

Sarah se derrumbó en el suelo.

—Cuando pienso en toda la energía que he gastado para visualizarte como un espíritu radiante...

El mensaje empezó a cobrar forma en el círculo negro.

—Venga —le apremió Judy—, léelo.

—Veintidós años de doctor Boorstein a la basura —dijo Sarah—. Lo único que puedo decir es que, gracias a Dios, tengo un seguro médico...

—¡Léelo! —le ordenó Alan.

Sarah bajó la vista hacia el tablero, vacilante.

—«Crecen y crecen y todo lo invaden —leyó Sarah—. Ten cuidado: no hay quien las pare.»

Un pedazo de escayola se desprendió del techo y se estrelló sobre el tablero de juego.

Alan, Sarah, Judy y Peter levantaron la cabeza. Una rama de enredadera asomaba por una grieta del techo. Bajó en espiral, haciendo más desconchones en el yeso.

—¡No! —gritó Sarah—. ¡No permitáis que esto ocurra!

«¡Craaaack!» Otra enredadera apareció rasgando el lienzo de un cuadro.

«¡Fffchiiit!» Saltaron montones de chispas cuando otra asomó desde el interior de un enchufe.

Al brotar de las molduras, de los almohadones del sofá, de la chimenea, las enredaderas se enroscaban alrededor de los muebles, echando al instante hojas y capullos.

—¡No os acerquéis a las paredes! —les advirtió Alan.

Judy observaba admirada cómo se abría un capullo en una flor exuberante de color púrpura.

—¡Son preciosas!

Cuando tendió la mano para tocar una flor, Alan le gritó:

—¡No las toques! ¡Tienen los pistilos envenenados!

—¡Aaaay! —chilló Peter de repente.

Se le había enroscado una enredadera en el tobillo. Después lo tiró al suelo y lo arrastró debajo de la alfombra.

—¡Peter! —gritó Judy.

La rama fue muy rápida. Peter salió disparado por la habitación como sujeto al extremo de un látigo, aullando.

—¡Cogedle! —gritó Alan.

Sarah, Judy y él empezaron la persecución. La enredadera sacó a Peter por el otro lado de la alfombra. El niño se retorcía, sacudía la pierna, buscaba alguna mano a la que asirse. Pero la garra de la enredadera le apresaba como un tornillo. Y lo arrastró hacia un aparador antiguo de caoba, con las puertas de cristal.

Los cristales se hicieron añicos. Por el terrible agujero asomó una monstruosa vaina verde, que se abalanzó derecha hacia Peter. La vaina se abrió y reveló dos filas de dientes brillantes como cuchillos.

—¡Noooo!

Los gritos de Peter resonaron en la bóveda del techo. El niño se retorcía como un poseso.

Las fauces de la vaina se abrieron más y más. Estaba salivando tanto que salpicaba el suelo.

Alan se tiró en plancha y logró agarrar el tobillo libre de Peter. Judy y Sarah le cogieron por un brazo cada una.

Por fin, los tres plantaron los pies con firmeza en el suelo y tiraron. La enredadera se estiró como una gruesa goma elástica.

Pero sujetaba muy fuerte. Judy notó que le resbalaban los pies. Los músculos de los brazos de Alan, endurecidos por los años de luchas en la jungla, eran impotentes frente a las enredaderas.

Acabarían todos alimentando a la planta.

Alan buscó frenético por todo el cuarto de estar. Después, sin avisar, soltó a Peter.

Judy, Sarah y Peter salieron despedidos.

Alan corrió hasta la chimenea. En la repisa seguía la vitrina con el sable de guerra.

Rompió el cristal y asió el arma.

La vaina babeaba a mares, a escasos centímetros de las piernas de Peter.

—¡Yeeeeeah! —aulló Alan a todo pulmón, mientras corría hacia el niño, enarbolando el sable por encima de la cabeza.

«¡Swoooosh!»

Lo descargó con todas sus fuerzas.

Con un fuerte chasquido, la enredadera se partió en dos. Peter, Judy y Sarah retrocedieron tambaleándose al otro extremo del salón.

La otra mitad de la rama se encogió hacia la vaina. Una nube de semillas con un penacho voló por los aires.

Alan contempló cómo flotaban.

—Uy, uy, uy... —dijo—. No se os ocurra abrir las ventanas por nada del mundo. No os podéis imaginar cómo crecen esas cosas.

En otro barrio de Brantford, el oficial Carl Bentley recorría una tranquila calle residencial. Empleando su instinto de policía, estaba buscando su coche patrulla.

No era demasiado difícil. No tenía más que

seguir el rastro de los coches aparcados que habían sido rayados.

Al doblar una esquina, hizo una mueca.

—¡Dios todopoderoso! —gruñó.

Su coche estaba parado en medio de la calle. La parrilla delantera abrazaba un viejo arce. El tejadillo y las ventanillas eran un colador. Las portezuelas y los guardabarros mostraban las abolladuras de la danza de golpes.

Al acercarse oyó los refritos de su radio.

Bentley abrió la portezuela del conductor y se montó.

—Aquí Carl —informó por el micrófono.

—¿Dónde demonios te habías metido? —ladró la voz de la operadora, Lorraine Gordon—. Tenemos un asunto muy serio de animales descontrolados...

—Llama a Stan o a Willy —le respondió Bentley—. Yo me voy a la antigua casa de los Parrish a investigar a un tipo sospechoso.

Colocó el micrófono en su soporte. Justo a la izquierda estaban las llaves, en el contacto. Bentley pronunció una breve oración y accionó.

El motor arrancó a la primera. El oficial

sonrió aliviado. Metió la marcha atrás y arrancó.

Con un chirrido escalofriante, el capó se separó del árbol.

En la entrada posterior de la casa de los Parrish, Alan pasó el extremo de la rama de la enredadera por las manecillas de las puertas de cristal. Hizo un nudo muy elaborado y después retrocedió.

La enredadera tiró, pero sólo consiguió apretar más el nudo.

Alan sonrió con sorna.

—Intenta evolucionar un par de millones de años. A lo mejor lo consigues.

A su espalda, Sarah caminaba de puntillas hacia la parte delantera de la casa.

Alan se volvió, la vio y corrió tras ella. Le agarró el brazo por detrás.

—¡Quítame las manos de encima! —le gritó ella.

—Sarah, todavía no hemos terminado de jugar —insistió Alan.

—Yo ya he terminado. ¡Suéltame!

Alan la arrastró hasta el cuarto de estar, retiró los cristales del tablero del Jumanji y empujó a Sarah a la biblioteca.

Judy y Peter los siguieron.

—Terminaremos aquí.

—Esto es un abuso —protestó Sarah.

Judy recogió los dados y se los tendió a Alan.

—Tu turno.

—La última vez que jugué a esto, me arruinó la vida —gruñó Sarah.

—¿Te arruinó la vida? —casi le escupió Alan—. «En la selva quedarás atrapado hasta que salgan cinco u ocho en los dados.» ¿Te acuerdas? ¡Pero no salió ni un cinco ni un ocho durante veintiséis años porque alguien dejó de jugar!

—Yo... yo no era más que una niña —repuso Sarah, encogiéndose—. No pude soportarlo.

Judy se interpuso entre los dos.

—Bueno, Sarah. Nosotros también estamos asustados. Pero si acabamos el juego, todo esto terminará.

—¿Cómo sabes que no volverá a ocurrir? —protestó Sarah—. ¿Cómo sé yo que no me quedaré atrapada en la jungla?

—Porque —la interrumpió Alan—, a diferencia de otros, yo no abandono a mis amigos.

Sarah hizo una mueca tras la acusación implícita.

—Ni yo tampoco —afirmó Judy con rotundidad.

Sin decir palabra, Peter tendió el puño. Judy colocó su mano encima. Y Alan añadió la suya.

Todos para uno y uno para todos. Como los tres mosqueteros.

Se quedaron mirando a Sarah los tres.

—¿Y bien? —preguntó Alan.

Sarah tragó saliva. Tenía la mirada distante y vacía.

Al fin suspiró y apoyó la mano sobre la de Alan.

Bajo la severa mirada del busto del general Parrish, sostuvieron los brazos juntos en un momento de solidaridad inflexible. Judy no se había sentido tan nerviosa en la vida.

Se soltaron. Alan cogió los dados y los agitó.

—Sabía que éste sería un mal día —murmuró Sarah.

—Oh, tranquila. Lo único que tenemos que hacer es aguantar los puñetazos, no perder la cabeza y todo saldrá bien... —Con una sonrisa de confianza, Alan leyó su mensaje en el centro del tablero—: «Un despiadado cazador empedernido te hará sentirte... como un...»

Alan tragó saliva. La sonrisa se le desvaneció.

—¿Como qué? —Judy terminó de leer—: «como un niño desvalido». ¿Como un niño desvalido...?

Alan se agachó muy tenso, como un animal acorralado. Tenía el entrecejo bañado de sudor mientras sus ojos escudriñaban toda la habitación.

—Van Pelt... —murmuró con voz ronca, atemorizado.

¿Eh?

Judy miró rápidamente a Peter y a Sarah.

«¡Kabuuum!»

Una cascada de cristales irrumpió en la biblioteca desde la galería acristalada. Una bala pasó silbando entre la nube de semillas que se levantó. Alan se tiró al suelo.

La pared de la biblioteca encajó el balazo a escasos centímetros de su cabeza.

—¡Al suelo! —gritó Alan.

Todos le obedecieron de inmediato.

Un cazador emergió por el agujero. Van Pelt era un hombretón cuadrado, vestido de caqui y tocado por un salacot. Tenía una expresión torva por encima de su frondoso bigote y una mandíbula de granito.

Van Pelt miró a Alan con mirada asesina, encaró el rifle, apuntó y disparó.

16

Alan logró esquivar el balazo rodando por la alfombra. La bala se estrelló en una moldura de madera.

Alan corrió hacia la puerta, gimiendo.

—¡Esto no es una carrera, maldición! —le gritó Van Pelt—. Deténte y deja que te pegue un tiro decente.

Judy, Sarah y Peter se agazaparon en un rincón. Van Pelt penetró en la biblioteca, sus pisadas resonaron como cañonazos.

Clavó la vista en los otros tres. Judy se quedó muy rígida, aunque le temblaban las piernas.

El cazador no les hizo el menor caso y siguió pesadamente a Alan.

Los pasos de Alan resonaron por el pasillo y

después se detuvieron. En cuanto cruzó la puerta de la biblioteca, Van Pelt volvió a encararse el rifle.

«¡Zliiing!» El sable hendió el aire hacia Van Pelt. Con un rasguido de tela, le atravesó la manga de la sahariana y se clavó en la pared. El cañón del rifle se desvió hacia lo alto.

«¡Blaaaam!» El tiro abrió un boquete tremendo en el techo.

Van Pelt comprobó que su brazo no había sufrido ni un rasguño.

Una sonrisa triunfante de sorna crispó la cara del cazador.

—¡Eres una desgracia para la especie, niñato!

Desclavó el sable y cargó pasillo adelante. Alan escapó por la puerta delantera. Voló por el césped y salió a la calle.

Como a media manzana de distancia, el oficial Bentley frenó en seco.

Bentley se apeó del coche patrulla.

—¡Oiga usted! —gritó a Alan.

Pero éste siguió corriendo.

Y Van Pelt apuntó.

«¡Blaaaamm!» La rama de un árbol se abatió pesadamente a unos centímetros de Alan.

Bentley se parapetó detrás de la puerta abierta, y completamente abollada de su coche. Con un rápido movimiento sacó el revólver y apuntó a Van Pelt.

—¡Suelte el arma y levante las manos! —le ordenó.

Van Pelt se volvió con tranquilidad.

«¡Blaaamm!» El tiro destrozó el parabrisas del coche patrulla.

«¡Blaaamm! ¡Blaaamm!» Los dos faros.

«¡Blaaamm!»

Una farola estalló justo encima de Bentley, rociándolo de cristales.

Van Pelt tenía a Alan en el punto de mira. No había lugar donde esconderse entre las cuidadas praderas de césped del vecindario.

Era un tiro limpio y fácil. Van Pelt sonrió.

«Clic.»

El cargador vacío. Van Pelt escupió una maldición.

Echó a correr detrás de Alan, murmurando por lo bajo.

Bentley asomó con cuidado la cabeza por encima de la portezuela del coche y examinó los daños.

—Ay, Dios mío —musitó.

Metió la mano dentro y cogió el micrófono.

—Lorraine, Lorraine. ¡Acuda enseguida, Lorraine!

—Sí, Carl —le contestó la voz de la operadora.

—Estoy persiguiendo a un hombre caucasiano que va armado, es muy peligroso, de unos setenta y dos kilos, un metro noventa, un casco enorme y bigote estilo fin de siglo XIX.

—Uh... ¿Me lo puedes repetir?

—No, tengo que irme. Te llamaré luego.

Se sentó en el asiento del conductor y apartó los cristales. La puerta abollada se cerró con un chirrido.

Arrancó muy decidido en pos de su francotirador.

En la casa, Judy, Peter y Sarah atisbaban por las ventanitas que flanqueaban la puerta principal.

—Bueno —explicaba Sarah sin aliento—, aunque Alan salga de esta situación, le van a volver a pasar cosas así una y otra vez. Cuando uno lleva tanta rabia acumulada, atrae mucha energía negativa. No fue una casualidad que acabara en la selva. Las casualidades no existen...

—¿A quién le toca ahora? —preguntó Alan a su espalda.

Se volvieron todos a la vez. Alan subía por la ventana del comedor.

Le sonrió a Sarah de oreja a oreja.

—¿Dónde está el juego?

—Pues donde lo dejamos —le respondió Judy—. Ahora muevo yo.

Alan se dirigió a la biblioteca.

—Ya podías habernos avisado de que alguien armado intentaría matarnos —protestó Sarah mientras los niños le seguían.

—¿Por eso no querías jugar? —le preguntó Judy.

Sarah enarboló una expresión de inteligencia.

—¡Aaah! ¿Así que él tampoco quería jugar? Vaya, vaya, con que «empezamos una cosa y tenemos que terminarla», ¿eh? ¿Y qué tiene ese tipo contra ti? ¿Pequeñas diferencias personales?

Alan se sentó ante el tablero.

—Es un cazador —explicó con brusquedad—. Y caza. Eso es lo que hace. En este momento, me está cazando a mí.

—¿Por qué? —le preguntó Sarah.

—No lo sé. Me encuentra tan despreciable

que no entiendo por qué pone tanto empeño en perder el tiempo conmigo...

Sarah asintió.

—¿Y no habéis intentado nunca sentaros a resolver vuestros problemas juntos?

—¿Estás loca? No se puede hablar con él. ¡Es completamente inasequible!

—¡No te atrevas a llamarme loca! —estalló Sarah—. Todo el mundo se cree que estoy loca desde que dije a la policía, hace veintiséis años, que tú habías desaparecido dentro del tablero de un juego.

Alan puso los ojos en blanco.

—No te estaba llamando loca. Era sólo una figura retó...

—Bueno, me toca a mí —les interrumpió Judy. Recogió los dados entre Alan y Sarah y los agitó exageradamente—. Yuju... ¡Allá voy!

—¿Sabes lo que ha sido que todo el mundo creyera que yo había presenciado el asesinato de Alan Parrish? —machacaba Sarah todavía—. ¿Cuántos niños crees que vinieron a mi fiesta cuando cumplí catorce años?

—¿Ni siquiera Billy Jessup? —contraatacó Alan—. Pues parecía de esa clase de chicos...

Sarah se cruzó de brazos, obstinadamente.

—¿Billy qué? No tengo ni idea de a quién te refieres.

—Oh, venga ya, Madame Serena. Estoy seguro de que si buceas lo suficiente en los niveles superiores de tu conciencia, serás capaz de encontrar la memoria de tu novio, Billy. Hacíais una pareja perfecta. Él no se reprimía la rabia...

—¡Sigue, Judy! —exclamó Peter—. ¡Tira de una vez!

Judy echó los dados sobre el tablero. Su peón avanzó por las casillas y se formó un nuevo mensaje:

No es un trueno, es otra cosa;
poned pies en polvorosa.

—¿Te refieres al chico que solía quitarte la bicicleta? —Sarah seguía en lo suyo.

—Me refiero al chico con quien te fuiste al cine cuando debías estar terminando el juego que empezamos —replicó Alan.

Peter advirtió que un busto de escayola de Beethoven empezaba a vibrar en una estantería.

—¡Qué inmaduro eres! —le espetó Sarah a Alan entornando los ojos.

—¡Inmaduro! ¿Yo? Por lo menos... —Alan se calló en seco y se llevó la mano al oído—: ¡Cállate! ¡Escuchad...!

A lo lejos se oyó un ruido sordo y grave que aumentaba de intensidad. Alan se acercó a la estantería y apoyó la mano en ella. El busto se estremecía con violentas sacudidas.

De pronto, Alan les miró con los ojos desorbitados.

—¡Estampida! —gritó.

Y, precipitadamente, empujó a Peter, Sarah y Judy hacia la puerta.

Mientras se alejaban a tropezones hacia el vestíbulo principal, la pared de la biblioteca se vino abajo.

17

Los libros salieron por los aires envueltos en una nube de yeso. Las estanterías se hicieron astillas.

Y entre los escombros flotantes apareció... una carga de rinocerontes.

Sí, ésa era la palabra. Los rinocerontes cargaban. Judy lo había estudiado en el colegio.

Qué curioso cómo se te ocurren así las cosas cuando estás a punto de morir. Aplastada en tu propia casa.

A Judy le pareció que ya no tocaba el suelo con los pies. Voló hasta el vestíbulo principal con Peter y Sarah, empujada por Alan.

Los rinocerontes cargaban.

Peor que una tromba.

Peor que el trueno.

Lo destrozaban todo a su paso.

Los muebles salían despedidos por las ventanas. Las paredes se agrietaban.

Judy sabía que estaba gritando, pero no oía su propia voz. La estampida se tragaba los demás ruidos.

Las puertas de la biblioteca saltaron de sus goznes. Y los rinocerontes cargaron por el vestíbulo.

Judy, Peter, Alan y Sarah se arrojaron de cabeza al interior del salón. Agachados contra la pared, sentían la corriente de aire, el calor de la piel de los animales, sus resoplidos apestosos.

La pared exterior de la fachada de poniente se rajó como si fuera de papel. En un fragor ensordecedor de pezuñas, los rinocerontes pisotearon el césped del jardín.

Pero detrás de los rinocerontes llegaron los elefantes.

Y detrás de los elefantes, las cebras.

Cuando el último animal abandonó la casa, el polvo se posó por todo el salón como una nevada de muerte. Judy contempló la devastación, sin atreverse a moverse. Temía una nueva acometida de... ¿de qué? ¿Quedaba algo más? ¿Hienas? ¿Ñus? ¿Quién iba a saberlo en el extraño mundo de Jumanji?

Mientras escupían el polvo de la escayola, los cuatro jugadores estiraron las piernas doloridas y se levantaron. El salón era una ruina, no quedaba piedra sobre piedra. Hasta el suelo se había agrietado bajo el peso de la estampida.

Pero Alan había rescatado el tablero de juego. Estaba a sus pies; los peones en sus puestos, como si nada hubiera sucedido.

«Pero ¿qué estamos haciendo?», se preguntó Judy. Habían dado vida a aquel mundo impredecible. ¿Lograrían controlarlo o serían dominados por él? ¿Acabaría con ellos el juego antes de que consiguieran terminar?

Unos aleteos interrumpieron el curso de los pensamientos de Judy. Una bandada de pelícanos entró volando por el pasillo.

Tenían las alas tan enormes que producían unas sombras alargadas por todo el salón. Pero no se detuvieron, y desaparecieron por el agujero de la pared.

—¡Eh! —gritó Alan de repente.

El último pelícano se tiró en picado sobre el tablero de Jumanji. El ave cerró el pico sobre el juego y se lo llevó.

Alan persiguió al pelícano dando brincos.

—¡Que no se lo lleve!

Pero el pelícano siguió volando hacia el vestíbulo con sus potentes alas.

Los cuatro decidieron perseguirlo. El animal volaba en círculo sobre ellos, desesperado. Al final se dirigió a la única salida que encontró.

—¡Judy! ¡No le dejes! —exclamó Alan.

Judy se interpuso en el camino del pelícano y agitó frenéticamente los brazos. Cuando el ave pasó sobrevolando su cabeza, saltó.

Logró rozar con los dedos la base del tablero.

El pelícano la esquivó. Después distinguió el hueco de la pared exterior derribada por la estampida. Aleteó y viró en aquella dirección.

—¡Sarah! ¡Peter! ¡No dejéis que se escape! —gritó Alan.

Sarah y Peter se abalanzaron hacia el enorme agujero que habían abierto los rinocerontes en la fachada lateral y se plantaron en medio.

El pelícano se lanzó sobre la cabeza de Peter, cogió velocidad...

Peter se agachó.

El pájaro salió al aire libre, con el tablero en el pico, y empezó a ascender por encima de los árboles.

Alan salió tras él, refunfuñando, furioso.

—Lo siento —gimió Peter—. Me asustó.

Pero Alan ya estaba en el jardín y corría mirando al cielo.

Peter estaba consternado, apabullado, deshecho.

—Desgraciado —murmuró Sarah, mirando a Alan. Después dedicó una sonrisa cómplice a Peter—. No te preocupes. Es la última persona que podrías tomar como referente.

Judy pasó corriendo por su lado, y gritó:

—¡Alan! ¿Adónde vas?

—¡Se dirige al río! —le contestó Alan a voces.

Y antes de que nadie pudiera reaccionar sonó el teléfono.

Judy entró en la casa. Los timbrazos sonaban muy apagados. Comenzó a escarbar entre los escombros y al final encontró el teléfono, medio enterrado.

Descolgó enseguida.

—¿Diga...? Ah, hola, tía Nora. Bueno, la verdad es que ahora no puedo entretenerme... Una estampida de animales salvajes ha destrozado la casa, una docena de monos ha saqueado la cocina y hay un león enorme encerrado en tu habitación... Bien... No, si lo entiendo... Vale. Adiós.

Peter y Sarah la miraron con ansiedad.

—Me ha castigado sin salir de casa otra semana —les anunció Judy.

Después echó a correr hacia el jardín, seguida por los otros dos.

En la casa de empeños de Main Street, Ralph Smigel y Lenny Creech estaban sentados detrás del mostrador, dando cabezadas.

Ralph abrió los ojos de pronto cuando un hombre se detuvo frente al escaparate.

Un cliente en potencia. Cosa muy poco frecuente en los últimos tiempos.

Y menudo espécimen... Como Teddy Roosevelt, del mundo de los muertos. Un rifle de caza remataba el conjunto. Dispuesto para una partida de caza en la plaza del pueblo. Ralph soltó un cloqueo. Desde luego, había que ver cada cosa...

El individuo examinó la sección de armas de fuego del escaparate y después entró en la tienda. Ralph dio un codazo a Lenny, que se despertó con un resoplido.

—Buenos días —le saludó Ralph.

Van Pelt no se dignó contestarle. Se acercó al mostrador y abrió el rifle, que escupió un casquillo vacío.

Ralph lo pilló al vuelo. Con la mirada fija en el uniforme caqui de Van Pelt, preguntó:

—¿Es usted del servicio de Correos?

—Soy cazador —le respondió Van Pelt.

Ralph le lanzó el cartucho a su socio.

—¿Tenemos de éstos, Lenny?

Lenny examinó el casquillo metálico y sonrió.

—Kynock Nitroball... Bueno, por desgracia, la empresa quebró en 1903...

—Si quiere usted municiones de las buenas, tendrá que comprarse un buen rifle —le recomendó Ralph con aires de entendido—. ¿Qué quiere cazar?

—Animales —respondió Van Pelt.

Ralph metió la mano debajo del mostrador y sacó un fajo de papeles.

—Muy bien... Necesito unos datos... el número del carné de conducir, el número de afiliación a la Seguridad Social, sus tres últimas direcciones... No lo había hecho nunca, ¿verdad?

Sin decir palabra, Van Pelt se metió la mano

en un bolsillo y depositó en el mostrador un puñado de monedas de oro.

Ralph tuvo que parpadear para dar crédito a lo que veía. Le asaltaron visiones de un coche nuevo y unas vacaciones en el Caribe.

—Oh, bueno, sí, todo está en orden —puntualizó Ralph mientras guardaba los papeles debajo del mostrador—. Así que busca usted algo de calidad... —Después, por lo bajo, le ordenó a Lenny—: Tú, mientras, vigila la puerta.

Lenny se escabulló a la puerta, le echó el cerrojo y se quedó montando guardia.

Ralph sacó de un compartimento oculto debajo del mostrador un rifle automático de francotirador, con mira telescópica y silenciador.

¿Ilegal? Por supuesto. Ralph lo sabía muy bien. Pero pensó: «Vale, claro que puede ocasionar muerte y destrucción incalculables, claro que le meterían en chirona si le pillaban vendiéndolo...».

Pero el oro estaba encima de la mesa. Y eso era lo único que significaba algo para Ralph.

Así que sonrió a Van Pelt.

—Lo mejor del mercado. ¿Le gusta?

Van Pelt se encaró el arma y miró por el visor.

Movió el rifle de lado a lado, apuntando por la tienda, por la ventana, la calle... el coche de policía cubierto de abolladuras que acababa de aparcar un poco más allá... el agente de policía que lo conducía, que en ese instante hablaba por la radio.

Van Pelt recordaba a aquel insecto... Con una sonrisa malvada, cruzó la puerta.

—¡Eh! —le dijo Ralph—. Si se lo preguntan, no diga que me lo ha comprado a mí...

Pero Van Pelt no le escuchaba. Sólo pensaba en Alan Parrish.

18

—¡Augh!

Una rama azotó a Judy en la cara. La apartó y siguió a la carrera entre los arbustos del bosque de Brantford.

Peter tropezó con una raíz y aterrizó en el suelo. Derribó por el camino a Sarah, que fue a chocar contra el tronco de un pino.

—Perdona... —le dijo.

Más adelante, Alan corría como por encima de una alfombra.

La verdad, no era fácil seguir el ritmo a un habitante de la selva.

En el lindero del bosque, Alan se detuvo al fin, a orillas del río.

Judy, Peter y Sarah le alcanzaron allí, cojeando y tambaleándose.

—¡Chiiist! —Alan les indicó de forma apremiante con la mano que se escondieran.

Mientras ellos se agazapaban en el sotobosque, Alan se hincó de rodillas.

Un poco más allá, sobre una piedra plana que sobresalía a pico sobre el río, el pelícano, muy tranquilo, tomaba el sol a sus espaldas.

Tenía a sus pies el tablero de Jumanji.

Alan gateó con sigilo entre los juncos de la margen del río. Al alcanzar la roca reptó literalmente, para acercarse al tablero de Jumanji.

Entonces el pelícano volvió la cabeza hacia Alan.

—Tranquilo, amiguito —le dijo Alan con la mano extendida hacia el juego—. Tienes una cosa que es mía...

«¡Snaaap!»

El pelícano le pegó un tremendo picotazo en la mano.

—¡Aaay!

Alan retrocedió de un brinco, frotándose la mano dolorida.

—Bueno, intentemos negociar.

Alan se agachó sobre las aguas del río. Permaneció un rato observando la corriente, sin moverse en absoluto.

Después, haciendo gala de unos reflejos prodigiosos, metió la mano en el agua y sacó un pescado vivo.

Judy se quedó boquiabierta de asombro.

El pelícano levantó la cabeza muy contento. Se acercó goloso a Alan con el pico abierto.

—¡Ah! Conque te gusta, ¿eh?

Alan sostenía el pescado, que todavía coleaba y se estremecía, en vilo; y tentaba al pelícano alejándolo hasta el mismo borde del río.

Después, antes de que el pájaro lo devorara, Alan tiró el pescado al otro extremo de la roca.

El pelícano levantó el vuelo y corrió tras él.

Pero empujó con las patas el tablero de Jumanji, que resbaló hacia el borde de la piedra.

Alan se tiró en plancha. El tablero permaneció una décima de segundo en equilibrio inestable...

Y se cayó al agua.

Judy por poco se desmaya. Sarah farfulló algo incomprensible.

Peter se levantó de un brinco y echó a correr. La corriente se llevaba el tablero río abajo. El niño siguió la margen, saltando de roca en roca.

Apretó la carrera en un meandro, para ganar terreno a las aguas. Unos metros más abajo, distinguió un árbol caído sobre el lecho del río. Se balanceaba sobre las aguas, con las raíces desenterradas.

Peter se subió al tronco. Se oyó un crujido cuando el tronco cedió con suavidad hacia el agua.

El niño miró corriente arriba. El tablero de Jumanji flotaba hacia él, mecido por las olitas.

Bueno, era el momento. Si Peter no lograba cogerlo entonces, el juego sería historia.

Caminó por una de las ramas del árbol caído. A cada paso que daba, el árbol entero rebotaba, haciéndole perder el equilibrio.

Agachado y con los brazos abiertos, continuó. La rama se iba estrechando, cada vez más mojada y resbaladiza. Le patinó un pie. Peter movió los brazos para no caerse.

El tablero de juego subía y bajaba, cada vez más cerca.

Peter se situó a su altura y se agachó.

Demasiado lejos: no llegaba.

La rama estaba a un metro del agua.

De repente le asaltó un pensamiento: «Clase de gimnasia, barras paralelas». No se lo pensó.

Se sentó a horcajadas, rodeó la rama con las piernas y después descolgó el tronco para atrás, quedándose cabeza abajo.

—¡No, no Peter! —chillaron Sarah y Judy desde la orilla.

El tablero estaba cada vez más cerca. Ya lo tenía a pocos centímetros. Peter estiró los dedos.

¡Demasiado lejos!

Desesperado, Peter se balanceó. Tras emitir un hondo gemido, la rama descendió otro poco.

El tablero de Jumanji iba a pasar justamente por debajo de él.

Peter logró rozar el borde con las puntas de los dedos.

¡Todo tuyo!

Agarró el tablero muy fuerte y rebotó hacia arriba. Sin dejar de sujetárselo contra el pecho, se puso de pie sobre la rama y regresó a la orilla.

Judy y Sarah estaban boquiabiertas. Alan, que se acercaba por detrás a todo correr, se detuvo en seco.

—Peter, ha sido fantástico —comentó Judy.

—Qué fuerte... —convino Sarah.

Peter no cabía en sí de orgullo.

Alan carraspeó, con el ceño fruncido.

—Buen trabajo —murmuró a regañadientes—. Bueno, vámonos ya.

Mientras se volvía y echaba a andar, Sarah le dedicó un guiño sarcástico.

Regresaron sobre sus pasos por el bosque y salieron a la carretera que llevaba a la ciudad.

Cuando cruzaban un puente de hierro, el coche patrulla del oficial Bentley les salió al paso zumbando desde una carretera secundaria. Se interpuso en su camino al frenar en seco.

Bentley se apeó como un cohete del coche y agarró a Alan por el brazo.

—Nunca se le habría ocurrido que una alerta

de todos los efectivos por una estampida de animales salvajes conduciría derecho hasta usted, ¿verdad? —le dijo con una sonrisa de sorna—. Bueno, ¿dónde está ese chalado del rifle que intentaba cazarle?

—No sé a qué se refiere —contestó Alan.

—Estupendo —exclamó Bentley—. Pues se viene conmigo para que le interrogue, sabihondo.

—¡Yo no voy a ninguna parte! —protestó Alan.

Bentley se sacó las esposas del cinturón y se las cerró en las muñecas.

—¡Un momento! —intervino Sarah—. Por favor... Em... no se lo lleve. Es...

—Su novio —la interrumpió Judy.

Sarah tragó saliva.

—Creía que era tu tío —terció Bentley.

—Sí, claro. Pero es el hermanastro de la hermana de mi madre, del primer matrimonio de su padre.

—Por favor, no detenga a nuestro medio tío —le suplicó Peter—. Es el único pariente que tenemos.

«¡Pfffuit!»

Sólo Alan oyó el tiro con silenciador. Volvió la vista hacia el coche patrulla mientras la bala pasaba zumbando por encima de su cabeza.

Van Pelt... Estaba en alguna parte, debajo del puente. Oculto entre los matorrales.

—No te preocupes —Alan tranquilizó a Peter—. Volveré enseguida.

Van Pelt era un gran tirador. Excepcional. Alan tenía que hacer algo. Moverse, por ejemplo. Impedirle que lo tuviera limpiamente a tiro.

Alan empezó a oscilar de derecha a izquierda. Se agachaba y saltaba y se retorcía, al tiempo que llamaba al oficial Bentley.

—¡Vámonos, Carl! —le apremió.

Bentley le miraba como si hubiera perdido completamente la razón.

Sarah movió la cabeza negativamente, y enfadada preguntó:

—¿No fuiste tú quien dijo que nunca abandonaría a sus amigos, Alan?

«¡Pfffuit!»

Por el rabillo del ojo, Alan vio cómo rebotaba otra bala en el suelo, detrás del coche de policía. Se montó de un salto en el asiento delantero.

—¡Y ahora nos dejas con el paquete! —continuó Sarah.

—El paquete me va a caer a mí si no me dejas marcharme. ¡Carl! ¡Venga!

Bentley se acomodó en el coche, al volante. Al cerrar la puerta, advirtió a los otros:

—Les sugiero que se vayan a casa. Están pasando cosas muy raras en Brantford.

Dicho esto, arrancó y se alejó.

Ninguno de los tres vio a Van Pelt, que salía de la maleza a unos treinta metros de distancia. Maldecía por lo bajo y juraba matar a Alan Parrish.

—Está como una cabra —exclamó Judy—. ¿Y cómo vamos a terminar el juego ahora?

—No lo haremos. Yo no pienso jugar sin él —afirmó Sarah con decisión.

—¡Judy!

El grito angustiado de Peter sobresaltó a Judy, que se volvió de inmediato a ver qué pasaba.

Peter, arrodillado junto al tablero de Jumanji, miraba el círculo negro.

—¿Qué pasa? —preguntó Sarah.

—Creí que podría acabar el juego yo solo...

Sólo estaba a diez casillas del final —gimió Peter.

Leyeron el mensaje del círculo:

A Jumanji no lo engañas:
pagarás por hacer trampas.

—¿Has intentado hacer trampa? —quiso saber Sarah.

—¡Intenté que saliera un diez en los dados!

Judy advirtió que el peón de Peter había retrocedido a la casilla de salida.

Pero eso no era lo peor.

—¡Peter, mírate las manos! —gritó horrorizada.

Peter las extendió poco a poco.

Le estaba saliendo pelo, espeso y muy negro.

19

«Varón, unos cincuenta años, rascándose y con síntomas de ictericia... el dueño señala que tal vez sean monos... trece clientes de un supermercado con fiebre y picores... se ha visto un babuino detrás de un restaurante...» recitaba una voz por la radio.

El oficial Bentley escuchaba con atención.

—¿Pero qué es todo esto? Sé que usted lo sabe.

Alan se inclinó hacia delante desde el asiento trasero, apoyando las manos esposadas sobre los muslos.

—No se lo puedo explicar, Carl. Y si pudiera, no se lo creería.

—¡Un momento, un momento! ¿Cómo sabe que me llamo Carl?

—Sé muchas más cosas. Usted trabajaba en la cinta cortadora de Calzados Parrish. Le llamaban «Tapas y Medias Suelas».

—Sí... es cierto —gruñó Bentley—. Hasta que el Gran Jefe Parrish me despidió.

—¿Te despidió?

Bentley soltó una larga exhalación.

—Y eso que tenía una cosa que podía haber convertido esta ciudad en un lugar importante del mapa.

Después guardó silencio, concentrando la

vista en la carretera. Alan estudió su cara con curiosidad por el retrovisor.

—No sé lo que llevarán en los pies en donde ha estado usted —continuó Bentley—. Pero mire a su alrededor: zapatillas deportivas con compartimentos de aire, refuerzos laterales de cuero, caña alta, suela grabada... Yo inventé una zapatilla así en el 69. ¡Hice un prototipo que habría superado todo lo que se ve hoy por la calle!

Alan hizo un esfuerzo por recordar. Poco a poco le vino a la memoria el día en que se había refugiado de Billy Jessup en la fábrica de calzado. Rememoró la expresión reprobadora de su padre... su conversación con Carl... todo encajaba, menos el final.

—¿Y qué pasó?

—Que el hijo de Parrish dejó la zapatilla en la cinta de la cortadora de suelas —repuso Bentley con amargura—, con lo cual destrozó la zapatilla, destrozó la máquina y me destrozó la vida porque me despidieron en el acto.

«Me escabullí. Y dejé que Carl se las cargara», comprendió Alan como un mazazo.

—El pueblo se vino abajo cuando cerró la fábrica —continuó Bentley—. Para mí fue una suerte, porque tuvieron que doblar los efectivos de policía, que sólo eran tres. Si no, no hubiera encontrado trabajo.

—Ya sé que no sirve para nada —admitió Alan—, pero lo siento.

—¿Qué es lo que siente?

—Pues haberlo estropeado todo.

Bentley clavó los ojos en el retrovisor. Escudriñó atentamente los rasgos de Alan.

Y entonces se le escapó una exhalación de sorpresa.

«¡Scriiiich...!» Pisó con fuerza el freno y el coche se detuvo en seco.

Bentley se volvió hacia atrás para mirarle de cerca. Para mirar de cerca al hombre que había arruinado su vida cuando era niño.

Alan sería detenido y necesitaría dinero para salir bajo fianza. Sarah lo sabía. Decidió ir al banco a sacar fondos.

Hizo autostop hasta el centro de la ciudad con Judy y Peter y llegaron en una camioneta de reparto. Después de dar las gracias al conductor, se apearon en la plaza de Brantford.

Allí reinaba un caos absoluto. Por las ventanas de las casas se oían gritos y voces. Pasó una ambulancia con la sirena a toda velocidad. Las puertas y los escaparates de las tiendas estaban rotos, propiciando el pillaje de individuos descontrolados, que salían cargados de toda clase de mercancías. De las plantas superiores de los almacenes llovían cajas, que se estrellaban en las aceras. Había coches aparcados en el césped, en las aceras, y abandonados de cualquier manera en medio de la calzada, con las portezuelas abiertas, incluso algunos con el motor en marcha y la radio puesta.

A escasa distancia de ellos, un hombre se cayó al suelo, rascándose y gimiendo. Una moto pasó zumbando junto a él: la conducían tres monos, que chillaban de una manera desgarradora.

Peter los miró con envidia. «¡Yo también quiero!», pensó instintivamente, sin poder evitarlo. Estuvo a punto de tirar el tablero de Jumanji y correr tras ellos. Quería que le llevaran a dar una vuelta. Ser uno de ellos. Pero se reprimió.

Se miró las manos, con temor. Los brazos le sobresalían de las mangas; casi un palmo más largos de lo habitual y cubiertos de un espeso pelaje marrón.

Que también le estaba saliendo en la cara.

Mientras acompañaba a Sarah y Judy a un cajero automático, trotaba y se contoneaba de lado a lado. Los zapatos le hacían un daño espantoso. Le estaban creciendo los pies.

Sarah gimió cuando vio el mensaje en la pantalla del cajero: «Fuera de servicio».

—A lo mejor podemos sacarle de la cárcel con un cheque —aventuró.

Judy oyó unas fuertes pisadas a su espalda. Se volvió y pegó un grito.

Con una sonrisa, Van Pelt arrebató a Peter el tablero de juego.

—Decidle a ese cobarde que, si valora tanto este juguete, que venga a pedírmelo a...

Dejó la frase sin terminar. Miraba el dibujo del tablero. Frunció el entrecejo y levantó la caja.

El cazador pintado en el logotipo de Jumanji le miraba fijamente.

¡Eran idénticos!

Se quedó boquiabierto, pasmado. Entonces aparecieron por una esquina unos cuantos vecinos del pueblo. Chillaban aterrorizados, se rascaban, hablaban con atropello.

Rodearon a Van Pelt y lo arrastraron en su avance.

Peter se abrió paso a codazos, entre la multitud, para alcanzar a Van Pelt. Logró arrebatarle el tablero y salió corriendo.

Fue a parar justo delante de un coche que se acercaba a toda velocidad.

—¡Peter! —chilló Judy.

Peter se apartó de un salto. El coche se detuvo y el conductor se apeó de él, lívido de furia.

Pero antes de que el hombre dijera media palabra, se quedó helado. Veía algo extraño por detrás de Peter.

El suelo empezó a estremecerse.

Peter no necesitaba volverse para verlo. Mientras el conductor del vehículo echaba a correr calle abajo, Peter se montó de un brinco en el coche vacío.

Aporreando el asfalto, hombro contra hombro, los rinocerontes cargaban por Main Street. La gente empezó a gritar e intentaba refugiarse entre las casas y en las tiendas abiertas.

Los animales se dirigían hacia el coche, y lo

arrasaban todo a su paso: papeleras, bocas de riego, señales de tráfico... como si fueran de cartón.

Peter se agazapó lo más hondo que pudo. Escondió debajo del cuerpo el tablero de Jumanji y se protegió la cabeza con los brazos.

Pero la estampida arremetió sin contemplaciones contra el coche con un golpe que provocó un ruido ensordecedor.

20

«¡Bam! ¡Bam! ¡Bam! ¡Bam!»

Peter oyó reventar las cuatro ruedas del coche. Los cristales de las ventanillas estallaron. El techo se hundió sobre él.

Apretó los dientes y cerró los ojos. Se imaginó el titular de la página de sucesos: «Un ser medio simio y medio humano aplastado por una carga de rinocerontes en Nueva Inglaterra».

Qué manera de morir...

El ruido era inenarrable. Le destrozó los oídos sin piedad.

«¡Grrriiih!»

Habían llegado los elefantes. Peter percibió la diferencia. El techo se hundió unos centímetros más. Se sentía como una sardina en lata.

Entonces notó el frío del metal contra la espalda. Miró hacia arriba, muy asustado. El tejadillo del coche, como una hojalata abollada, ya empezaba a aplastarle.

Sabía que chillaba porque tenía la boca abierta y le dolía la garganta; pero sólo se oía el fragor de la estampida.

Y luego, de repente, todo acabó.

Se le secó el grito en la garganta. Peter no veía nada, no oía nada más que aquel ruido alejándose poco a poco. Como en una pesadilla.

¿Era eso la muerte? ¿Negra como la boca del lobo, silenciosa, apagada?

Abrió los ojos. No se había dado cuenta de que los tenía cerrados.

Seguía aplastado por el tejadillo del coche. Miró por una ventanilla y vio el asfalto. Temblaba, cuando se quitó de debajo el tablero de Jumanji.

Estaba vivo. Todavía podía continuar el juego.

Aunque tal vez hubiera sido mejor morirse.

—¡Peter! —la voz histérica de Judy le llegó desde el caos del exterior.

Un brazo se coló por la ventanilla. Peter sonrió.

Hasta que advirtió que salía de una manga de color caqui.

—Niño, dame eso —gruñó Van Pelt.

—¡No!

Peter se agarró al juego con uñas y dientes. Intentó quitarlo del alcance de Van Pelt, pero no había sitio.

Van Pelt lo cogió por la ventanilla rota y salió corriendo.

—¡Socorro! ¡Sacadme de aquí! —gritó Peter.

Judy y Sarah llegaron a todo correr. Peter se agarró a las manos que le tendieron. Jadeando, retorciéndose, logró reptar hasta la ventanilla.

Cuando pisó la calle, se quedó horrorizado al ver el emparedado metálico que le había servido de escondite.

¡Por poco se queda! Por muy poco.

Pero no había tiempo para pensar en eso. Tenían que recuperar el juego.

Judy y Sarah tomaron calle abajo, en la misma dirección que Van Pelt.

Peter las siguió. Por más que lo intentaba, no lograba correr como un ser humano. Tenía las piernas corvas, le colgaban los brazos hasta el suelo.

Tuvieron que sortear basuras, cristales rotos, cajas aplastadas. Sarah les llevaba un poco de ventaja y desapareció por una esquina.

—¡Aquí! —gritó.

Peter y Judy alcanzaron a ver a Van Pelt cuando se disponía a entrar en los grandes almacenes Ahorre Más.

Cruzaron el aparcamiento y se adentraron en los almacenes.

En los pasillos reinaba el caos. Había personas que saqueaban cuanto podían. Empleados persiguiéndolas. Otros empleados primero las perseguían y después saqueaban. Se veía toda clase de artículos diseminados por el suelo: libros, pilas, paraguas, juguetes, comida.

Pero Van Pelt había desaparecido. Judy, Sarah y Peter registraron el edificio de arriba abajo. La sección de ferretería y menaje, de deportes, de perfumería, de juguetería...

—¡Mirad! —exclamó Judy.

Al final del departamento de juguetería, sobre un mostrador de cristal, estaba la caja de Jumanji.

—¡Esperadme un momento! —les dijo Sarah, mientras se dirigía hacia allá por un pasillo.

Cuando asió la caja, Van Pelt apareció por detrás del mostrador y la agarró por la muñeca.

—Debí figurármelo —murmuró Sarah.

—Pero no lo has hecho —se jactó Van Pelt—. Bueno, ahora, cuando Alan se entere de que te he cogido, vendrá a por ti. ¡Y le tendré en el saco!

—¡Un plan magnífico, genial! ¿Y cómo se va a enterar de que me has cogido?

Van Pelt levantó el cañón del rifle hacia el techo y soltó una descarga de balazos.

—¡Quieta, mujer! —gritó—. ¡Si no quieres que te deje como un colador, maldita sea!

Se les vino encima una cascada de escayola. Los saqueadores soltaron su botín. La gente huyó de los almacenes presa de pánico.

Van Pelt sonrió, muy seguro de sí mismo.

—Alan no tardará en conocer tu situación.

Escondidos detrás de una fila de expositores,

Judy y Peter se aproximaron lentamente a Van Pelt. Peter caminaba a gatas... pues era mucho más cómodo para él, en su nuevo estado.

De pronto brincó hacia el cazador y le mordió en la rodilla.

Van Pelt rugió de dolor y soltó a Sarah. Judy se abalanzó sobre el mostrador, cogió el lector de láser y se lo enfocó a los ojos.

Van Pelt retrocedió, tapándose los ojos con la mano. Pero con la otra, apretó el gatillo de su arma automática, que vomitó el cargador indiscriminadamente.

Sarah se apoderó del tablero de juego y echó a correr, con Peter y Judy en sus talones.

21

Bentley no estaba convencido. No del todo. La identidad de Alan, bueno... existía un parecido, los recuerdos eran correctos.

Pero... ¿la historia de Jumanji? Ni hablar.

Bentley no quiso escuchar nada más al respecto.

Frustrado, Alan daba zancadas junto al coche. Seguía con las esposas puestas y se sentía como un animal enjaulado. Se había pasado una eternidad discutiendo en la acera, mientras Van Pelt y la mitad de la fauna salvaje de Jumanji andaban sueltos haciendo de las suyas.

—Carl, tiene que creerme —le rogaba Alan—. Si me deja en libertad, tal vez pueda detener todo esto. Se lo explicaré más tarde. Pero ahora tiene que ayudarme.

Apoyado contra la puerta delantera, Bentley enarcó una ceja con escepticismo.

—La última vez que intenté ayudarte, perdí todo lo que tenía.

—¡Esta vez es distinto! —Alan le tendió las muñecas esposadas—. Por favor...

De mala gana, Bentley sacó el llavero.

—Sé que me arrepentiré —murmuró, mientras abría las esposas—. De acuerdo. ¿Qué puedo hacer?

—Nada. —Como un relámpago, Alan encajó una de las esposas en la muñeca de Bentley y la otra en la manecilla del coche—. Tengo que hacerlo yo solo.

Luego le quitó las llaves del cinturón y las tiró a un campo. Sin perder ni un segundo más, Alan echó a correr carretera arriba.

—¡Alaaaan! —gritó Bentley.

Maldiciendo, empezó a forcejear con las esposas. Dentro del coche patrulla, la voz de Lorraine aullaba por la radio:

—¡Carl! Carl, ven enseguida. Por lo visto hay una situación de secuestro en los almacenes Ahorre Más, con una mujer, dos niños y un varón blanco armado que se parece al sospechoso que mencionaste antes tú mismo. ¿Carl, estás ahí?

Alan lo oyó y regresó hasta el coche.

—¡Van Pelt! ¡Los ha cogido! —exclamó.

Sin que Bentley pudiera decir esta boca es mía, Alan lo metió a empellones en el coche.

—¡Venga, adentro! A la ciudad ahora mismo.

—¿Qué? —farfulló Bentley—. ¿Qué es lo que quieres de mí...?

Se quedó hecho un nudo. Su brazo derecho, sujeto a la portezuela, se le cruzaba por delante del pecho.

Alan lo empujó al asiento del conductor y se sentó a su lado.

—No se preocupe, ya lo he hecho antes —le informaba mientras ponía el coche en marcha—. Una vez.

El coche resucitó con un rugido. Apretujado contra Bentley, Alan movió la palanca de cambios.

—Que Dios nos ayude —murmuró Bentley entre dientes.

«¡Bruuuum!»

El coche salió disparado del bordillo. Marcha atrás.

Alan y Bentley fueron arrojados contra el parabrisas. Alan pisó el freno y cambió de marcha a ciegas. El automóvil dio un trombo. Cuando se quedó orientado hacia el pueblo, Alan pisó el acelerador.

El coche patrulla arrancó hacia delante, coleando por la carretera.

Bentley se arrebujó contra la portezuela.

—¿Dónde está Ahorre Más? —le preguntó Alan.

—En Monroe con Elm.

—¿Al lado de la iglesia episcopal?

—¿La iglesia? Ahora es una hamburguesería. Bueno, era. Cualquiera sabe lo que quedará de ella, ahora que la gente se ha vuelto loca...

Alan distinguió en el retrovisor unas luces intermitentes. Aminoró la velocidad mientras una motocicleta de la policía le alcanzaba.

La conducían tres monos muy sonrientes. Uno de ellos empuñaba un revólver.

Bentley se quedó sin habla.

Negó con la cabeza y, harto, apretó el pedal del acelerador y dejó a los monos atrás.

En Ahorre Más, Sarah corría entre los anaqueles como alma que lleva el diablo. Con el tablero de Jumanji apretado contra el pecho, se metió en la sección de moda femenina.

Van Pelt la seguía de cerca. Tres balas se estrellaron en un maniquí, a la izquierda de Sarah. Ella giró a la derecha, hacia la ropa deportiva.

Judy le hizo señas apremiándola desde el departamento de lámparas, situado a escasa distancia. Le señaló un carrito abandonado en el pasillo, algo más adelante.

Sarah cogió el carro, echó dentro el tablero de Jumanji y lo empujó.

El carrito salió rodando pasillo adelante. Judy lo interceptó y echó a correr.

Van Pelt resoplaba mientras la perseguía con una mirada salvaje.

Peter hurgaba con desesperación en el departamento de deportes en busca de algo que sirviera de arma, o de trampa, para detener a Van Pelt.

Se detuvo ante una gran piragua de aluminio. Se le ocurrió una idea: una idea brillante y malvada.

«Tal vez parezco un chimpancé, pero sigo pensando como un niño de ocho años», se dijo.

Cogió la piragua y la colocó en el suelo. Después con la máxima rapidez, reunió el resto de lo que necesitaba: una cuerda, un equipo de submarinismo con dos botellas de aire comprimido, y un remo.

Primero separó las botellas del resto. Con la cuerda, ató una de las botellas a la borda, por babor, y la otra, por estribor.

Después sujetó el remo, atravesado a la manga, para que sobresaliera por los dos lados.

Cuando lo tuvo todo bien afirmado, dirigió la proa de la piragua hacia la encrucijada más cercana de dos pasillos.

Oyó cómo se acercaba Van Pelt, pisando fuerte y gritando.

Entonces cogió un martillo y una garrafa de detergente líquido de la sección de menaje y limpieza. Destapó la garrafa y vertió a toda prisa su contenido por el suelo, justo por delante de la piragua, formando un buen charco.

Finalmente, cubrió la piragua con una lona alquitranada. Agarró el martillo y se agazapó a esperar junto a su trampa.

Van Pelt dobló la esquina y salió al medio de la encrucijada.

Peter retiró la lona.

«¡Pam! ¡Pam!» Con sendos martillazos, abrió las boquillas de las botellas de submarinismo.

«¡Pusssssssch... !» Las botellas escupieron el aire comprimido, propulsando la piragua hacia delante.

Hacia Van Pelt.

Éste intentó huir, pero sus botas resbalaron en el jabón líquido y se le fue un pie en cada dirección.

La piragua se le echó encima como un torpedo. Las palas le asestaron un buen golpe en las rodillas.

Van Pelt soltó un rugido de dolor y se derrumbó sobre la piragua. Ésta salió despedida sobre el suelo resbaladizo, hacia la sección de cámping. Una sonriente familia de maniquíes primorosamente vestida, se desplomó encima de Van Pelt formando un revoltijo de brazos y piernas.

La piragua se coló por la abertura de una enorme tienda de campaña. Tras rasgarse por todas partes, la tienda se derrumbó.

Y allí se detuvo por fin la piragua, bajo un montón de mochilas, hornillos, telas y piezas de plástico.

Por debajo de todo aquel amasijo empezaron a sonar tiros furiosos.

Sarah apareció disparada por una esquina. Judy la seguía de cerca, con la caja de Jumanji bajo el brazo.

—¡Vámonos, Peter! —le gritó Sarah—. ¡Salgamos de aquí!

E, inmediatamente, apretaron a correr los tres hacia la puerta.

A su espalda, Van Pelt intentaba salir de debajo de los trastos. Apretaba los dientes por el dolor insoportable de las rodillas.

Pero logró divisar a los tres y se incorporó, con los cinco sentidos alerta.

Se le olvidó el dolor. Eran un blanco fácil.

Se encaró el rifle y apuntó.

22

En el cruce de Monroe y Elm, Alan dio un golpe de volante a la izquierda.

Ahorre Más se extendía ante el parabrisas estallado. El coche patrulla se dirigió hacia los grandes almacenes a cien kilómetros por hora.

—¡Disminuye la velocidad! —le ordenó el oficial Bentley.

Alan pisó el freno. El pedal se hundió hasta el fondo. Un líquido amarillento brotó por un costado del coche.

Alan frenó de nuevo, levantó el pie, volvió a pisar a fondo.

Nada. Se habían quedado sin frenos.

Mientras el automóvil se lanzaba hacia la pared de cemento de Ahorre Más, Alan y Bentley intercambiaron una última palabra:

—¡Aaaaah!

Dentro de los almacenes, Van Pelt se reía satisfecho. Los tres desgraciados se dirigían a la salida lateral. Se creían más listos que él.

Sin ninguna prisa, apretó el gatillo.

«¡Pfffuiit!»

La bala segó el aire. Van Pelt bajó el rifle y sonrió.

¡Diana!

La bala se incrustó en el pestillo de un anaquel de neumáticos deportivos, justo al lado de la puerta.

El anaquel se descolgó de la pared y una cascada de neumáticos se vino abajo. Sarah y Judy se pararon en seco, bloqueadas por la avalancha.

Observaron horrorizadas cómo desaparecía Peter debajo de una montaña de goma negra.

Empezaron a desenterrarlo, pero Van Pelt se les estaba echando encima por momentos. Sarah se encogió, a la vez que apretaba el tablero de Jumanji contra el pecho.

—¡Dejad de lloriquear! —exclamó Van Pelt con una sonrisita de sorna—. No es muy deportivo disparar a mujeres indefensas.

—¡Eso es la cosa más asquerosa que he oído en mi vida! —le espetó Sarah.

Con una ronca carcajada, Van Pelt le arrebató el juego.

—¡Ahora sí que vendrá!

«¡Buuuuum!»

Sonó como un cañonazo a la espalda de Van Pelt, que se giró para mirar. Varias filas más lejos, los artículos volaban por los aires. Se oían el rugido de un motor y ruidos diversos...

Van Pelt retrocedió unos pasos hasta la sección de droguería. Desde aquella perspectiva logró vislumbrar el boquete en la pared.

Y en ese preciso instante, un anaquel estalló en sus narices y el coche patrulla del oficial Bentley apareció dentro de los almacenes.

Van Pelt se había enfrentado a un león desde tan cerca que podía olerle el aliento. Había contemplado a un rinoceronte sin pestañear. Los animales salvajes no significaban nada para un cazador como él.

Pero aquello... aquello daba pavor.

Se apartó de un brinco. El tablero de Jumanji se le escapó de las manos.

El coche se estrelló contra un anaquel de botes de pintura, produciendo un estrépito espantoso. Van Pelt se cayó al suelo y se protegió la cabeza con las manos mientras las latas reventaban y se volcaban a su alrededor.

Y finalmente, el coche patrulla fue a morir, como un amasijo de hierros retorcidos, contra la otra pared.

Alan se bajó y se precipitó hacia Judy y Sarah.

El oficial Bentley, aturdido, se apeó tras él, tambaleándose. Le temblaban las rodillas. Seguía esposado a la puerta, que se arrancó de cuajo y se desplomó.

Miró a Alan. Se miró las esposas. Y, después, anonadado, se alejó, arrastrando la portezuela del coche.

—¡Gracias a Dios que estáis bien! —exclamó Alan—. ¿Y Peter?

Sarah señaló con mano temblorosa el montón de neumáticos.

Alan se dirigió allí y empezó a apartar neumáticos. La cara de Peter no tardó en aparecer.

Bueno, la nueva cara de Peter. Cubierta de

pelo, con la mandíbula prominente, parecía cada vez más un babuino.

Alan se quedó patidifuso. No sabía lo que había pasado, pero sospechaba que tenía algo que ver con Jumanji.

No tenían tiempo que perder.

Y si no terminaban pronto ese juego, Peter acabaría encerrado en un zoológico.

23

Mientras conducía por los suburbios de la ciudad, tía Nora escuchaba con atención una voz tranquilizadora grabada en una cinta:

«Así que, recuerda, las circunstancias no están nunca fuera de control.»

Entonces sonó un pitido.

«Fin de la tercera cinta. Por favor, inserte la cuarta cinta: "Las tres Ces: Compostura, Carisma y Choofziiwww...".»

La cinta terminó con un gemido.

—Vaya por Dios —murmuró Nora.

Después tuvo que frenar en un semáforo. Al sacar la cinta, empezó a sonar la radio:

«Últimas noticias sobre los extraordinarios sucesos de Brantford, New Hampshire —anunció el locutor—. Noventa y ocho personas por lo menos han sido hospitalizadas con síntomas extraños, desde fiebres y sarpullidos inexplicables hasta ataques violentos. Los efectivos locales están al límite de sus recursos y las fuerzas de orden público han pedido a los afectados por tales síntomas que llamen a un número especial, el 1 800 555 RASH. Los inmunólogos del Centro de Control de Infecciones de Atlanta opinan que...»

—¡Ay Dios mío... los niños! —exclamó Nora para sus adentros.

El suelo empezó a estremecerse. Nora miró a su alrededor con curiosidad. Qué raro. ¿Había terremotos en Nueva Inglaterra?

El semáforo se puso en verde y ella empezó a levantar el pie del pedal del freno.

Pero volvió a pisarlo a fondo a toda prisa. La encrucijada que tenía delante estaba bloqueada.

Por rinocerontes. Cargaban de izquierda a derecha. Resoplaban con un aspecto muy poco amable. Nora se quedó boquiabierta.

¿Sería la cinta, que le había afectado totalmente el cerebro?

Abrió la portezuela del coche y se apeó. La polvareda de la estampida la envolvió.

Absorta como estaba por el espectáculo que se desarrollaba ante ella, no advirtió al mono que salía del grupo y se escondía en su coche.

Nora contempló la carga de elefantes y de cebras. Después, con un enorme aturdimiento, se dejó caer en el asiento del coche y arrancó.

Toda la anchura de la calle estaba cubierta de agujeros y detritos. Nora la cruzó despacio y, al llegar al otro lado, aceleró.

El mono saltó desde el asiento trasero y aterrizó a su lado con una sonrisa de admiración.

«¡Ñiiiick!»

Nora pisó el freno a fondo. El coche derrapó y se cayó por un terraplén.

A pleno grito, Nora consiguió salir del coche y trepó hasta la calle.

Mientras se alejaba a todo correr, el mono sacó la cabeza por la ventanilla y comenzó a chillarle.

Había un buen trecho desde Ahorre Más hasta Jefferson Street, pero Alan, Sarah, Judy y Peter lo recorrieron en un santiamén.

Al llegar a la casa de los Parrish, Peter empezó a quejarse. Tenía el cuerpo encorvado y chepudo y le costaba mucho esfuerzo caminar. Al verlo, Sarah se compadeció de él y se le humedecieron los ojos.

—Alan, dile algo —le susurró.

Alan sintió pena por el pobre muchacho. Su transformación debía de haber sido muy dolorosa. Alan se acercó a Peter, un poco incómodo, pensando en las palabras más adecuadas. En todos aquellos años en la selva, nunca había tenido que aconsejar a nadie.

—Bueno, Peter —empezó a decir, tras carraspear un poco—, has hecho trampa y ahora tendrás que enfrentarte a las consecuencias como un hombre.

—¡Ooooh! —gimió Peter.

—¡Venga, Peter, levanta la cabeza! —siguió Alan—. Llorar no sirve para nada. Si tienes un problema, no tienes más remedio que encararlo.

Peter se echó a llorar.

«Perfecto —pensó Alan—. El pobre crío se

177

está convirtiendo en un mono y yo insisto en que se lo tome por el lado bueno...»

—Tienes razón, Peter, tienes razón. Soy un insensible. Veintiséis años encerrado en la jungla más profunda y remota, y aún así, me he convertido en mi padre. —Abrazó al pobre niño mono sollozante—. Lo siento, Peter.

Uf. Alan se sintió muy aliviado al haber sido capaz de expresar todo aquello.

—No es eso —explicó Peter con un hilillo de voz.

Alan se apartó.

—¿Pues qué es?

—Mira... —le dijo Peter, ruborizándose.

Alan vio una mata de pelo marrón que sobresalía de la pernera del pantalón de Peter. Con un rápido movimiento, le hizo volverse y le desgarró el fondillo de los pantalones.

Metió la mano por el agujero y sacó un rabo.

Sarah y Judy palidecieron de la impresión.

Peter sonrió, aliviado.

—Gracias.

—Bueno, no te preocupes —le animaba Alan cuando se dirigía hacia el porche de la casa con el niño de la mano—. Conseguiremos muy pronto transformarte de nuevo en ti mismo. Entraremos en casa, nos sentaremos a acabar este dichoso juego como sea...

Abrió la puerta principal y se quedó sin habla.

—¿Quéee? —se le escapó un susurro horrorizado.

A su espalda, Sarah exclamó:

—¡Oh, no!

Las paredes del vestíbulo eran una jungla verde y frondosa de enredaderas enormes. La araña del techo difundía una luz matizada por las hojas.

El techo, el suelo, las escaleras, los muebles, todo había desaparecido bajo la vegetación. La selva estaba devorando la casa entera.

—Quizá sería mejor jugar en otra parte —sugirió Sarah.

—No. Llevo toda la vida enfrentándome a esto —reconoció Alan, mientras avanzaba con decisión entre las plantas. Y añadió, señalando al exterior—: Lo que me desmonta es lo de ahí fuera.

«Zzzz... zzzz... zzzz...»

El oficial Bentley estaba en el departamento de ferretería de Ahorre Más, e intentaba cortar la cadena de las esposas con una sierra para metales.

La portezuela del coche de policía cayó al suelo. Bentley flexionó el brazo.

¡Libre al fin!

Bentley se dirigió a toda prisa al departamento de automoción. Entre los anaqueles volcados y los restos de artículos encontró una lata de líquido de frenos. La cogió y regresó al coche.

Limpió el capó de botes de pintura y lo abrió. Después echó el líquido de frenos en el depósito y volvió a cerrar.

Pero el capó se desenganchó y cayó al suelo con gran estrépito.

Bueno, no había tiempo para preocuparse por eso. Bentley se sentó al volante y puso el motor en marcha.

El coche volvió ruidosamente a la vida. Bentley salió marcha atrás con mucho cuidado y después pisó el freno.

El coche se detuvo. ¡Funcionaba!

Sorteando los obstáculos, Bentley condujo con prudencia hacia la puerta.

—Lorraine, aquí Carl... —llamó por el micrófono—. Ya sé quién está detrás de toda esta locura. Me dirijo a la casa de los Parrish. Necesito apoyo... ¿Lorraine?

«¡Iiiiaaauuuuh... !» No hubo más respuesta.

La emisora parecía una jaula de monos. Bentley tiró el micrófono y pisó el acelerador.

Mientras el oficial de policía abandonaba al fin los grandes almacenes, una mano apareció bajo una pila de latas de pintura. Poco a poco, Van Pelt logró abrirse un hueco. Estaba aturdido y medio inconsciente.

Y muy, muy enfadado.

24

—¡Socorro! ¡Socorro! —gritaba Nora mientras agitaba los brazos ante un coche que se acercaba—. ¡Socorro!

¡Por fin! Llevaba horas corriendo sin ver ningún vehículo.

Aunque... ¡menudo vehículo! Un coche de policía que parecía recién salido de una trituradora: abollado, rayado, sin capó y sin la puerta del conductor.

Por no mencionar las manchas de pintura que lo salpicaban todo.

El oficial Bentley se detuvo.

—¿Le ocurre algo, señora? —preguntó.

—¡Sí! ¡Claro que sí! ¡Necesito llegar a mi casa inmediatamente! —le contestó Nora.

—¿Dónde vive usted?

—En Jefferson Street. En la antigua casa de los Parrish.

Bentley hizo un doblete.

—¿Tiene usted hijos? ¿Un niño y una niña?

—¡Ay, Dios mío...! —Nora palideció—. ¿Qué ha pasado?

—Se lo contaré por el camino. Suba.

—¡Lo sabía! ¡Sabía que no podría manejar este asunto! Claro, soy una madre espantosa... ¡y ahora ha sucedido algo terrible!

Por la ventanilla trasera del coche se coló una ramita en dirección a la nuca de Bentley.

Nora intentó decir algo, pero se quedó sin habla.

Sólo pudo chillar.

—Señora, tranquilícese —le propuso Bentley con su voz más persuasiva de policía responsable—. Exagera usted.

Nora señaló la enredadera, que se hallaba a escasos centímetros del cuello del oficial.

Bentley volvió la cabeza para mirar.

—¡Aaaah!

Y se tiró por el hueco de la puerta.

La enredadera se enroscó en el asiento vacío. Después continuó hacia el suelo del coche.

Rechinando en la gravilla de la carretera, el coche derrapó. La enredadera lo sujetó a un arbusto, donde desapareció.

—¡Formidable! —exclamó Bentley—. ¡Toma ya!

Después se volvió hacia Nora y añadió muy tranquilo:

—Señora, lo siento, pero tendremos que seguir a pie.

Alan entró en el salón, que parecía un invernadero. Apartó de una patada algunas de las enredaderas del suelo y colocó el tablero de Jumanji como pudo.

—Bueno —dijo, tras encogerse de hombros—, siempre he dicho que esta casa necesitaba más vida...

Sarah, Judy y Peter se arrodillaron en torno al tablero. Mientras se sentaba, Alan captó la mirada de Sarah.

Por primera vez, no sintió ira hacia ella, ni reproche alguno. Durante dos décadas y media habían vivido alejados, sin pensar siquiera en el otro. Pero, en cierto modo, la vida de ambos estaba incompleta... hasta entonces.

Mientras Sarah cogía los dados, Alan estuvo tentado de confesarle lo que sentía, antes de que ocurriera alguna otra catástrofe.

Pero su mirada le indicó que no hacía falta. Ella también lo sabía. Formaban un equipo en todo aquello.

—Sarah, si sacas un doce, habrás ganado —le recordó Judy.

Sarah cerró los ojos. Agitó los dados, murmurando un deseo inaudible. Después, los echó.

Cuatro... y uno. Cinco.

Sobre un coro de suspiros de decepción, el peón se movió.

—«Trópico: cuando salga la luna —leyó Sarah— soplará el monzón en la laguna.» ¿Laguna? Menos mal que estamos dentro de casa. —Tendió los dados a Judy—. Judy, date prisa. Te toca a ti.

«¡Craaack!»

Un relámpago iluminó las ventanas.

El suelo se estremeció. Judy se levantó de un brinco al recordar la estampida.

Pero esa vez no se trataba de animales. Sólo de lluvia.

Una lluvia torrencial.

Cortinas de lluvia. Llovía tan fuerte que casi no se veían unos a otros.

El salón se inundó en un instante. El tablero de juego salió flotando.

Alan lo cogió. El agua empezó a subirles hasta los tobillos... hasta las rodillas...

—¿Qué hacemos ahora? —preguntó Sarah a voces por encima del fragor de la lluvia.

—¡Vamos al piso de arriba! —le respondió Alan.

Con la cabeza tapada para protegerse del aguacero, los cuatro se abrieron paso hacia el vestíbulo.

El agua bajaba por las escaleras como una catarata. Intentaron ascender, pero la corriente se lo impedía.

Judy y Peter perdían pie. Las aguas subían y subían...

Alan empezó a nadar hacia la lámpara, que colgaba ya a poca distancia del nivel del agua.

—¡Venid! —les apremió.

Pero Sarah chapoteaba con desesperación, presa de pánico.

—¡Alaaan! —gritó.

Tras ella, enseñando unos dientes horrendos en unas fauces escalofriantes, tenía dos cocodrilos gigantescos.

—¡Nada! —le gritó Alan.

Les dirigió hacia la araña de cristal. La mesa del comedor flotaba justo debajo. Alan se encaramó a ella. Depositó el tablero de Jumanji y tendió las manos para ayudar a Sarah, Judy y Peter.

«¡Schnappp!» Las fauces se cerraron tan cerca de Judy que la niña notó la corriente de aire.

Dio un alarido y se escabulló.

«¡Schnappp!» «¡Schnappp!» Los reptiles les atacaban por todos los flancos.

Justo debajo de la lámpara, Alan juntó las manos.

—¡Sube!

Judy cogió el tablero, puso un pie en las manos de Alan y se agarró a la enorme araña de cristal, por donde trepó lo mejor que pudo.

Luego se encaramó Peter con una agilidad simiesca.

Con un ruido sordo, uno de los cocodrilos se subió a la mesa.

Alan y Sarah saltaron al unísono. Se estrellaron de cabeza contra los brazos de la lámpara.

Y entonces, Peter perdió el equilibrio y se cayó al agua, agitando sus largos brazos.

—¡Socorro! —gritó, impotente.

Uno de los cocodrilos abrió su espantosa boca junto a la cabeza de Peter.

Como un rayo, Alan se arrodilló, tendió la mano, agarró a Peter por el rabo y tiró.

«¡Schnappp!» Las fauces se cerraron en vacío. Peter voló hasta la lámpara de una sola vez.

Pero Sarah se resbalaba justo hacia los dientes de otro de los reptiles.

—¡Alaaan! —aulló.

Cayó de pie sobre las mandíbulas del cocodrilo. Se quedó paralizada de espanto.

El animal abrió la boca, listo para comer.

Sarah pataleó furiosamente sobre aquella base inestable.

—¡Aaaagh! —gimió, desesperada.

Alan se tiró de cabeza sobre el cocodrilo, y consiguió arrojarlo de nuevo al agua.

Mientras Alan desaparecía debajo del agua, Sarah se agarró a la araña y se izó a lo alto.

Peter, Judy y ella se quedaron helados ante la pelea. Sólo aparecían intermitentemente un retazo de piel rosada o una sombra de cuero verde.

El otro cocodrilo se les acercó dispuesto a compartir el siguiente festín.

Nora y el oficial Bentley subieron con fatiga por la entrada de la casa. Al acercarse oyeron gritos en el interior. Y como el fragor de una tormenta.

Nora bajó la mirada y advirtió que salía agua por debajo de la puerta.

—¡Oh, no! —exclamó—. ¡Pobres niños! ¡Que Dios me perdone...!

Bentley sacó el revólver y cogió el tirador de la puerta con la otra mano.

—Señora, déjeme que me ocupe yo.

Y abrió la puerta de un fuerte tirón.

«¡Floooosh!»

La puerta se desencajó de los goznes. De abajo arriba. El agua se llevó por delante a Bentley y Nora.

Salieron despedidos hacia la calle, en la cresta de un maremoto. A su alrededor flotaban algunos muebles y ramas de enredadera arrancadas.

Agarrados a la puerta como a una tabla de salvación, navegaron por encima del jardín y bajaron por Jefferson Street.

Que en ese momento parecían más bien los rápidos de Jefferson River.

En el interior de la casa, Judy, Peter y Sarah contemplaron cómo se vaciaba el agua por la puerta. Era como si hubieran quitado el tapón de una bañera gigante.

La corriente se llevaba a Alan y los cocodrilos hacia la puerta. Alan nadó ferozmente hacia la lámpara.

Peter le tendió su largo brazo. Alan se agarró a su mano con todas sus fuerzas.

La lámpara se balanceó. Peter luchó por no soltarse a pesar de la fuerza de la corriente y el peso de Alan.

Se le escaparon los pies.

Judy se tiró en plancha y lo agarró por los tobillos. Pero ella también se quedó sin asidero.

Sarah cogió a Judy. Formaban una cadena humana desde la lámpara hasta Alan, a quien mantenían a flote en las aguas que arrastraban a los cocodrilos hacia la puerta.

El nivel bajó bastante deprisa. Los cocodrilos seguían retorciéndose y lanzando bocados a los pies de Alan.

Desde la lámpara, Sarah tiró por última vez. La cadena dio una minúscula sacudida.

Pero en una última oleada, la corriente arrastró a los cocodrilos por la puerta.

Alan aguantó. Luego, notó el suelo debajo de los pies. Soltó poco a poco las manos de Peter y cayó de pie.

La mesa del comedor estaba a su lado. Se subió a ella y agarró a Peter y después a Judy.

Sarah se descolgó hasta sus brazos. Saltaron al suelo y entonces Sarah miró a Alan con una hermosa sonrisa de gratitud y admiración.

—Te has peleado con un caimán por mí...

Alan se ruborizó.

—En realidad, era un cocodrilo. Los caimanes no tienen esa raya en las patas traseras. —Desvió los ojos de la mirada de afecto de Sarah—. Bueno, más vale que subamos al piso de arriba. —Sarah negó con la cabeza.

—Miedo a la intimidad —susurró a Judy y Peter mientras Alan se escabullía escaleras arriba.

Le alcanzaron en el pasillo de la primera planta. A su derecha, el león rugía, encerrado en el dormitorio de tía Nora. A la izquierda, les bloqueaba el paso una vaina gigante.

—¡Al desván! —exclamó Alan—. Es lo más seguro.

Subieron los peldaños de la escalera de caracol de dos en dos.

La buhardilla estaba seca y sin invasores del reino vegetal. Alan quitó el polvo de un viejo baúl de viaje y colocó el tablero encima. Sarah,

Judy y Peter se derrumbaron en las cajas que encontraron, exhaustos.

Alan agitó los dados, pero se detuvo en seco.

—¡Ay, ay, ay! —gritó de repente.

Judy por poco se cae de su improvisado asiento.

—¡Creo que no he cogido los doscientos dólares de la última mano!

Alan se echó a reír de su propia broma, mientras los otros tres lo fulminaban con la mirada.

—Bueno, de acuerdo.

Alan echó los dados sobre el tablero. Su peón avanzó y todos miraron el mensaje.

Más vale que mires bien por dónde pisas...
El suelo es más falso que las arenas movedizas.

Alan se hundió.

Sarah cogió los dados y Peter el tablero. Y se apartaron del baúl.

Excepto Alan. Estaba atrapado. A sus pies, el suelo se había vuelto de una sustancia marrón, viscosa y gorgoteante. Reventaban unas burbujas espesas, que se lo empezaron a tragar.

—¡Ayudadme! —gritó Alan, desesperado,

mientras notaba cómo le desaparecían los pies en aquel lodo.

26

—¡Alan, no forcejees! —le apremió Sarah.

Judy tropezó con un trípode para partituras. Se lo tendió enseguida a Alan.

Él se agarró, pero era un trípode extensible, y Alan se quedó con una pieza en la mano y Judy con la otra mitad.

—¡Aaagh!

Alan estaba hundido hasta el pecho.

Peter acercó un viejo trombón. Sarah y el niño lo agarraron por la boquilla y le acercaron las varas a Alan.

—¡Agárrate! —le sugirió Sarah a Alan.

Siguió su consejo, pero las varas se salieron por el otro extremo y Alan se hundió un palmo más.

—¡No me deis más cosas que puedan partirse en dos! —les gritó, desconcertado.

Sarah cogió una silla de madera. Se inclinó hacia delante y apretó los dientes.

«¡Chasss!» En cuanto Alan se asió, la silla se rajó, podrida de carcoma.

Alan ya desaparecía por completo. Sarah se tiró sin pensarlo, tendiéndole las manos. Se cayó de cabeza en las arenas movedizas.

Judy tuvo una idea luminosa. Le tocaba jugar a ella. Tal vez su mensaje desactivara el anterior. Agitó frenéticamente los dados y tiró.

Algo nuevo aprenderás:
a veces hay que volver atrás.

Y el peón de Judy retrocedió una casilla.

«¡Clopp!» El suelo se solidificó de pronto. E inmovilizó a Alan. Sólo se le quedaron la cabeza y los brazos fuera. Sarah estaba arrodillada a su lado, pillada en el entarimado hasta los codos.

—Gracias, Judy —dijo Alan con una calma forzada—. Eso ha sido una reacción rápida. Ahora Sarah y yo querríamos salir del suelo. Creo que le toca a Peter.

Mientras Judy y Peter iban a recoger el tablero, Alan y Sarah se miraron. Permanecían casi pegados, respirando el aliento del otro, incapaces de moverse, en una posición extraña.

Sarah se echó a reír.

—En mi grupo de terapia, dirían que estamos violando nuestro espacio personal.

—¿Y eso es malo? —le preguntó Alan.

—Oh, sí, es un pecado mortal. Pero, la verdad, yo lo estoy disfrutando mucho —le confesó Sarah con una sonrisa.

Alan habría deseado desviar la mirada, pero no podía. Así que se lanzó a decir exactamente lo que estaba pensando:

—Yo también.

«Agh —pensó Peter—. Vaya por Dios.»

Más valía seguir con el juego. Se inclinó sobre el tablero de Jumanji y echó los dados. Judy y él leyeron el mensaje:

¿Alguien necesitaba una ayudita?
¡Pues nosotras le echamos ocho manitas!

Un repentino correteo les hizo levantar la cabeza.

De las vigas pendía un hilo de seda, con su araña correspondiente... del tamaño de un toro.

27

Peter aulló de terror.

Empezaron a llover arañas gigantes a su alrededor, como granizo. Docenas y docenas... sobre el tablero, por las esquinas, por delante del espejo, sobre el piano. Se quedaban suspendidas; movían sus patas finas y larguiruchas, abrían y cerraban aquellas bocas carnívoras.

—¿Qué pasa? —preguntó Alan—. ¡No veo nada!

Por fin volvió la vista hacia el espejo y entonces soltó un grito agudo y estremecedor.

Judy recogió el atril de partituras partido en dos y empezó a soltar mandobles con él a diestro y siniestro.

—¡Peter! —le gritó Alan—, mi padre tenía un hacha en el cobertizo de herramientas del jardín. ¡Tráela!

El niño se esfumó escaleras abajo y salió de la casa. Corrió hasta el cobertizo de la leña, pero estaba cerrado con un candado.

Vio un hacha oxidada apoyada en la pared y

la emprendió con ella a hachazo limpio contra el candado.

Pero... ¡qué tonto!

Hacha en mano, Peter regresó a toda prisa a la casa.

Calada hasta los huesos y agotada, Nora entró en la casa por la puerta principal. Su fonda, el sueño de su vida, era poco más que un montón de escombros cubiertos de enredaderas, hierbajos y lodo.

Le latía el corazón como un martillo mientras recorría los destrozos de la planta baja.

—¿Judy...? ¿Peter...? ¿Niños?

Le respondió un graznido selvático y lejano.

Nora empezó a ascender la escalera, mirando al cielo.

—Oh, por favor, por favor, si permites que estén bien, nunca más les de...

Pero al llegar al rellano del primer piso se quedó de piedra. Sobre su cabeza, las piernas de un hombre y las manos de una mujer se agitaban en el techo.

Nora soltó un grito y retrocedió por el pasillo

hacia su dormitorio. Cogió el picaporte sin volverse, abrió la puerta y se encerró en su cuarto.

Un león dormitaba encima de la cama.

La fiera abrió los ojos con pereza. Después, levantó la cabeza.

Encogió el befo, enseñó los dientes y soltó un rugido escalofriante.

Nora salió de un brinco de su habitación, y pegó un portazo.

Peter, cubierto de pelo marrón de la cabeza a los pies y con rabo, subió a brincos las escaleras con un hacha en la mano.

—¡Tía Nora! ¡Soy yo! ¡Peter! —exclamó con una aguda voz simiesca.

—¡Iiiiiihhhch!

Nora retrocedió por el pasillo hasta el armario de la ropa blanca.

—¡Ahora no tengo tiempo! ¡Te lo explicaré después! —le gritó Peter.

Nora se metió en el armario, y Peter cerró la puerta y dio la vuelta a la llave.

Después, siguió escaleras arriba hacia el desván.

En la buhardilla, Judy seguía aplastando arañas. Pero por cada una que acertaba, llegaban dos más.

—¡Sarah! —le llamó Alan—. Te toca a ti. Lo único que necesitas es un siete.

Sarah intentó sacar las manos del suelo. Fue en vano.

—¿Qué puedo hacer? ¡Así no hay quien eche los dados!

—Bueno... —insinuó Alan—, tal vez sí.

Y la miró enseñando los dientes. Sarah comprendió el mensaje.

—¡Claro!

—Judy —exclamó Alan—. Trae el tablero, deprisa.

Judy recogió el tablero del suelo. Cuando se dirigía hacia Alan, una flor morada emergió entre las tablas del entarimado. Abrió los pétalos y unos pistilos envenenados se erizaron como dardos.

En ese momento Peter irrumpió en el desván. Vio a su hermana y luego, la flor.

—¡Judyyyy! —chilló.

La flor se estiró. Lanzó sus dardos envenenados hacia Judy y se le enganchó en la nuca.

Peter levantó el hacha y la descargó sobre el tallo. La flor morada salió volando.

Después se acercó a su hermana.

—¡Judy! ¿Estás bien?

—Sí, sí, perfectamente —le contestó Judy, mientras se apartaba los zarcillos—. Ayuda a Alan y Sarah.

Se les acercó con el tablero de Jumanji.

—Dame los dados —le dijo Sarah—. En la boca.

Judy le metió los dados entre los dientes. Sarah los sujetó, movió la cabeza y los soltó sobre el tablero.

—Por favor, leedme el mensaje, yo no lo veo...

—«Poco te falta y te vas a divertir —le leyó Judy—, pero pronto el suelo se va a sacudir.»

Antes de que se borraran las palabras, una araña se abatió sobre ella.

Y después otra, y otra. Atacaban en formación, todas juntas, desde el suelo, se abalanzaron sobre Judy, que se levantó para protegerse.

Pero al cabo de un instante, sin avisar, se detuvieron. Una por una, se retiraron hacia las esquinas del desván.

—¡Estupeeeeendo! —proclamó Peter.

Pero fue un alivio muy breve. Empezó a retumbar toda la casa. Los muebles se estremecieron.

Judy se derrumbó en el suelo, blanca como la

cera. Peter se precipitó sobre ella. Le levantó la cabeza y se la sujetó.

—¡Le ha picado la flor! —exclamó—. ¿Qué le va a pasar...?

Alan tragó saliva.

—Hay que terminar el juego. Es la única posibilidad que le queda...

El suelo comenzó a vibrar... pero no al ritmo regular de la estampida sino con unas sacudidas irregulares y violentas. Desde abajo les llegaba un ruido sordo e imparable. Peter empezó a temblar.

Abrazó a su hermana muy fuerte.

—Te pondrás bien, Judy —le susurró—. ¿Te duele?

—No —logró articular Judy con voz ronca.

—Mentirosa.

Judy intentó enfocar los ojos sobre su hermano.

—Ojalá papá y mamá estuvieran aquí...

«¡Craaaack!»

El suelo del desván se resquebrajó con un crujido. Fue como si se abriera una cremallera de madera. Alan se hundió, libre de su trampa, pero en el vacío.

Sarah le agarró por las muñecas y aguantó. Alan se quedó colgado sobre el primer piso.

La grieta se ensanchaba, partiendo la casa entera, desde los cimientos hasta el tejado. De pronto, se abrió un negro abismo en la tierra.

Las paredes se caían a pedazos. Las cañerías reventadas vomitaban agua, las conducciones eléctricas soltaban chispas. Los muebles se movían.

El tablero de Jumanji se balanceaba en el mismo borde de la sima. Los dados se cayeron, pero Alan soltó una mano y los pilló al vuelo.

—¡Coge el tablero! —gritó Alan metiéndose los dados en el bolsillo.

—¡No pienso soltarte! —le contestó Sarah.

La casa sufrió otra sacudida, como si la hubiera golpeado una inmensa bola de derribos.

El tablero de Jumanji se deslizó por el borde de la grieta. Aterrizó en el piso inferior, con gran estrépito.

Se quedó encima de un tablón suelto que sobresalía, pero debajo se abría una oscuridad sobrecogedora.

Alan soltó las manos de Sarah. Se agarró a una enredadera y saltó.

Como de liana en liana, Alan saltaba por las

ramas, se balanceaba por encima del vacío. Logró recuperar el tablero y al final aterrizó jadeante en el salón de la planta baja.

Sudaba a mares y bizqueaba de agotamiento.

Pero tenía el juego. Y le tocaba tirar a él.

Colocó el tablero en el suelo, junto a una espesa maraña de enredaderas y se metió la mano en el bolsillo en busca de los dados.

Su peón estaba a cinco casillas de la meta. Sólo cinco.

—¡Lo voy a conseguir! —se propuso—. ¡Terminaré este maldito juego de una vez para siempre!

Agitó los dados sobre el tablero.

—¡Deténte!

Se le heló la sangre en las venas.

Alzó la cabeza. El rifle de Van Pelt le encañonaba desde el vestíbulo.

28

El uniforme caqui de Van Pelt estaba muy arrugado y lleno de manchas de pintura. Su salacot, abollado. Las botas, rozadas y rajadas. Y el bigote, desmayado.

Pero aun así, era la cosa más temible que Alan había visto en su vida.

Con lentitud, Van Pelt se acercó a Alan, sin dejar de apuntarle.

—Deberías salir corriendo...

—Ahora no puedo —replicó Alan—. Tengo cosas más importantes que hacer.

—¿Es algún truco? —le preguntó Van Pelt entornando los ojos con suspicacia—. ¿Qué tienes en la mano?

—Nada.

—¿Nada? Pues suéltalo.

Sarah bajaba sigilosamente las escaleras.

—Es mejor que hagas lo que te pide... —le insinuó con precaución.

Alan echó los dados.

«Un cinco... un cinco... un cinco...», expresó su deseo.

Abrió la mano.

El primer dado cayó en el tablero. Sacó un tres.

El otro salió rodando, hacia el borde...

Y se precipitó al vacío. Alan creyó que se le salía el corazón por la boca.

—¿Cosas más importantes que hacer...? —se mofó Van Pelt—. ¿Jugando como un niño pequeño? Nene, se acabaron los jueguecitos. ¡Corre!

Alan movió la cabeza obstinadamente, esperando contra toda lógica. El sudor le caía por la frente y le escocía en los ojos. Oía rebotar el dado por el interior de la grieta, de lado a lado, por las rocas del subsuelo, hundiéndose y hundiéndose cada vez más.

—¡Tienes que huir! —le ordenaba Van Pelt—. Bueno, venga, contaré hasta tres. Uno...

Van Pelt apoyó el dedo en el gatillo.

—Dos...

El dado dejó de sonar. Tenía que haberse parado en alguna parte. ¿En qué número?

—¡Y tres!

Alan dejó de respirar. Ya estaba. Ya nunca lograría arreglar todo el daño que había hecho.

Había arruinado la vida de todas las personas a las que más había querido, había desaparecido durante años... y, luego, había vuelto para destrozar su casa, su pueblo... tal vez el mundo. Qué manera de morir.

Van Pelt bajó el rifle a cámara lenta.

—Por lo menos te has demostrado algo a ti mismo.

Alan soltó un suspiro de alivio. ¡Se iba a salvar! Pero no.

—Bien, te mereces una pelea justa —le indicó Van Pelt, levantando el cañón otra vez.

Por el rabillo del ojo, Alan distinguió un movimiento sobre el tablero de Jumanji. Clavó la mirada en él.

El otro dado debía de haber aterrizado. Su peón estaba avanzando.

Tres casillas... cuatro... ¡Cinco!

Alan tragó saliva. Miró a Van Pelt con los ojos desorbitados de incredulidad.

—¿Quieres expresar alguna última voluntad? —gruñó Van Pelt.

Alan apenas podía pronunciar palabra.

—Jumanji.

Van Pelt apretó el gatillo.

«¡Blaaaaam!»

—¡Noooo!

Sarah se arrojó al centro de la sala, directamente en la trayectoria de la bala.

29

Muerta.

Esfumada.

La bala murió en el aire, se esfumó a escasos centímetros, a milímetros, del pecho de Sarah.

Sarah se levantó y se abalanzó sobre Alan. Éste la abrazó.

Un silencio sobrenatural invadió toda la casa. El fragor del terremoto se apagó.

Alan miró a Van Pelt. La temible cara del cazador, dura como la piedra, se había transfigurado en una expresión de pánico absoluto.

Levitaba. El rifle se le escapó de la mano y se desvaneció. Su cuerpo empezó a brillar y se volvió transparente.

La casa empezó a girar a su alrededor... a girar y a girar, hasta que las paredes formaron una nube blanca y densa... Y de pronto, la nube blanca se difuminó, revelando el mundo de Jumanji: los mosquitos, los monos, los rinocerontes, los elefantes, las cebras, los pelícanos, los cocodrilos, las arañas, todos daban vueltas y vueltas, hasta que adquirieron velocidad, mucha velocidad, y se convirtieron en un ciclón.

Después, el gran torbellino se fue afinando por abajo, como un embudo, vibrante de fauna salvaje, cada vez más fino, y apuntó hacia el tablero de juego. Hacia el centro del círculo negro. Ingrávidos, con chillidos de otro mundo, todos, animales y plantas, fueron aspirados hacia aquel punto, como la materia que traga un agujero negro. El último de todos, que gritaba a pleno pulmón, fue Van Pelt.

Ante los asombrados ojos de Alan y Sarah, el juego que habían iniciado hacía tanto tiempo se acabó.

CUARTA PARTE

NEW HAMPSHIRE, 1969

30

«¡Gooong! Gooong!»

«Qué raro», pensó Alan. Algo tenía que haberle ocurrido al reloj. Funcionaba de nuevo.

La última vez que lo había oído fue en 1969, justo antes de desaparecer.

Asió los brazos de Sarah. ¿Pero qué había ocurrido con ellos? Los notó tan... pequeños.

Alan la miró a la cara. Por poco se desmaya.

Sarah tenía trece años de nuevo. Exactamente como la recordaba en el día aciago en que el reloj de pared había sonado y él...

¿Pero... había sucedido de veras?

Se miró los brazos. Sin vello, delgados, los brazos de un niño de doce años.

Y la casa... ¡estaba preciosa! Sin enredaderas, ni escombros, ni lodo. Y limpia. Cada mueble estaba pulido y en su sitio.

Entre Sarah y él, el tablero de Jumanji permanecía abierto sobre la mesita baja.

La puerta delantera se abrió de golpe. Alan pegó un respingo. Sarah se encogió en el sofá.

Entró un fantasma.

Para ser un espectro, el padre de Alan tenía muy buen aspecto. Estaba fuerte, incluso. Ni un día más viejo que la última vez que Alan lo vio.

Que era veintiséis años antes.

Que era el presente.

Alan se levantó. Se le llenaron los ojos de lágrimas. Tenía un nudo en la garganta de pura felicidad y apenas podía articular palabra.

—Papá... has vuelto.

—Se me han olvidado los papeles del discurso —le anunció el señor Parrish.

Se dirigió muy decidido hacia el comedor. Alan reconoció aquellas pisadas. Su padre estaba enfadado por algo. ¿Por qué? ¿Qué más daba?

Durante todos los años que pasó en Jumanji, Alan había rememorado su vida muchas veces. Si hubiera tenido la oportunidad de volver a empezar, habría cambiado tantas cosas... Nunca habría vuelto a desperdiciar las posibilidades que se le ofrecían.

En fin, y ahora había vuelto. Al mismísimo

principio. Y no pensaba cometer los mismos errores por segunda vez.

Cruzó la sala hacia su padre y le echó los brazos al cuello.

—¡Papá... papá! ¡Qué contento estoy de que hayas vuelto!

El señor Parrish se sobresaltó. Dirigió una mirada desconcertada a su hijo. Después, una leve sonrisa asomó a sus labios.

—Pero si sólo he estado fuera cinco minutos...

—A mí me ha parecido una eternidad —le explicó Alan enjugándose una lágrima.

Su padre soltó un cariñoso resoplido y devolvió el abrazo a su hijo.

—Bueno, creía que no ibas a dirigirme la palabra en tu vida.

—Lamento mucho todo lo que he dicho.

—Mira, Alan, estaba muy enfadado. Yo... yo también lo siento. —Después respiró hondo—. Y en cuanto a la Academia Cliffside...

—¿Cliffside?

Alan hizo memoria lentamente.

—Sí. ¿Por qué no lo discutimos mañana, de hombre a hombre?

—¿Y por qué no de padre a hijo? —le propuso a su vez el niño.

El señor Parrish le sonrió con afecto y asintió.

—¡Eh, que me tengo que ir! Soy el invitado de honor...

—Papá... —le interrumpió Alan—. Entonces, en el 69... quiero decir, hoy, en la fábrica... No ha sido culpa de Carl Bentley. Fui yo quien tiró sin querer la zapatilla en la cinta de montaje.

—Me alegro de que me lo hayas dicho, hijo.

En ese momento, Alan vio una expresión en el rostro de su padre que no recordaba haber visto nunca. De confianza. De orgullo.

De amor.

—Adiós, papá.

El señor Parrish se dio la vuelta y salió.

Cuando se cerró la puerta principal, a Alan le entraron ganas de bailar. De gritar de alegría.

Hasta que sus ojos se posaron en el tablero de Jumanji.

—¡Ay, pero qué despiste! —exclamó—. ¡Judy y Peter! Tenemos que subir al desván...

Echó a correr, pero Sarah le retuvo.

—Alan, no están ahí. Hemos vuelto al año 1969. Ni siquiera han nacido todavía.

Sarah levantó la mano izquierda. Sostenía dos peones. Los de Judy y Peter. Todavía no habían jugado.

Mientras miraba los peones, un brillo llamó la atención de Alan desde el fondo del salón.

Un espejo.

Su reflejo le cortó la respiración.

Habían desaparecido, las pieles de animales, sus hombros fornidos, ya no tenía barba... y había encogido treinta centímetros.

Le impresionó mucho verse de nuevo con doce años. Pero en su vida había sido más feliz.

Minutos más tarde, Alan pedaleaba con fuerza en su bicicleta, con Sarah en el sillín, por las calles oscuras de Brantford.

Frenó sobre un puente que salvaba el río. El sitio donde Van Pelt le había disparado mientras él estaba esposado.

«No, todavía no ha sucedido», se dijo Alan.

Y no sucedería jamás. Sarah y él se asegurarían de ello.

Desmontaron de la bici.

Sarah llevaba una gran bolsa de papel marrón.

Alan la cogió y sacó la caja de Jumanji, que habían atado con un bramante grueso. Del mismo cordel colgaban dos piedras de buen tamaño.

Alan gruñó mientras subía la carga al pretil del puente. A la pálida luz de la luna, Sarah y él contemplaron cómo caía el fardo al río.

Esfumado. Para siempre.

Alan suspiró.

—Estoy empezando a olvidarme de cómo es ser un adulto —afirmó Sarah.

—Yo también —repuso Alan—. Pero no importa, siempre y cuando no nos olvidemos uno de otro.

—Ni de Peter y Judy...

Contemplaron la corriente, perdidos en sus pensamientos. Después Sarah se volvió hacia Alan y le miró a los ojos.

—Alan... hay una cosa que me gustaría mucho hacer... y quiero hacerla antes de que me sienta demasiado niña.

Le abrazó. Y compartieron un largo beso en silencio, mientras el mundo de Jumanji se alejaba río abajo.

QUINTA PARTE

NEW HAMPSHIRE, 1995

31

Ese invierno empezó a nevar muy pronto en Brantford. La nieve cubrió con su blanco manto la próspera ciudad y las familias acudían a la plaza a lanzarse en trineo.

Los aficionados al esquí nórdico pasaban zumbando por delante de la fábrica de calzado Parrish y su anexo. El aparcamiento, en general atestado, estaba vacío, cubierto de una aterciopelada capa blanca. Junto a la entrada, un cartel rezaba: «Calzados Parrish. Cinco generaciones de calidad».

Quedaban ya pocos trabajadores en el interior de la fábrica. Uno de ellos era su propietario y gerente.

Alan Parrish.

Caminaba por la pasarela enmoquetada que se extendía por encima de la nave, al lado de su contable, Marty Lawrence.

—Los detallistas están furiosos de que vayas a

regalar todos esos zapatos otra vez por Navidad
—decía Marty acaloradamente.

—Marty, los niños que los han recibido no
pueden gastarse noventa dólares. Nadie va a salir perdiendo.

Marty negó con la cabeza.

—No, sólo nosotros.

—Mira, tómatelo así: cuando esos niños crez-
can y encuentren trabajo, siempre recordarán
Calzados Parrish y serán fieles clientes de nuestra empresa.

Cuando alcanzaban una puerta abierta, asomó la cabeza Carl Bentley. Con su poblada mata de pelo gris, sus hombros cuadrados y un
traje europeo a la última, el señor Bentley era
un hombre muy respetado, y Alan lo sabía perfectamente.

—Es una inversión de futuro —comentó el señor Bentley, como si hubiera oído la conversación. Echó un brazo por encima de los hombros
de Marty y añadió, sonriente—: ¿Por qué no en-
tras a discutir los detalles conmigo?

Entraron en el despacho y Alan cerró la
puerta desde el pasillo. Observó durante un momento las dos siluetas a través del cristal esmeri-

lado de la puerta, que ostentaba un rótulo dorado:

«Carl Bentley. Presidente.»

Sabía que Marty se dejaría convencer. Alan era demasiado fácil, pero nadie podía negarse ante el inventor de las zapatillas voladoras Bentley.

Alan consultó el reloj. Sarah ya habría llegado a casa después de trabajar. Llevaba el embarazo bastante bien, pero no era justo dejarla a cargo a ella sola de todos los preparativos de la fiesta navideña de esa noche.

Sobre todo con lo nerviosos que estaban los dos. Por sus invitados.

Alan hizo una profunda inspiración. ¿Nerviosos? No.

Aterrorizados.

Los primeros invitados llegaron a la mansión de Jefferson Street a las seis y media. Alan salió a recibirlos y después subió a su cuarto para vestirse de Santa Claus.

Cuando bajaba, sonó el teléfono. Alan se metió en la cocina y descolgó. Mientras hablaba, la gente entraba y salía cargada con bandejas de comida.

—¿Diga? ¡Ah, hola, papá! —exclamó Alan—. Sí... la línea de botas de excursionismo va de fábula... Sí, ha sido un año estupendo... Gracias.

Sarah asomó la cabeza por la puerta.

—Ya están aquí, cariño.

Alan sintió su corazón al galope.

—Papá, tengo que colgar, acaba de llegar el nuevo director de marketing. Sí... un beso a mamá... Sí, os recogeré en el aeropuerto pasado mañana... Adiós.

Alan echaba de menos a sus padres desde que se habían mudado al Sur después de la jubilación. Tenía muchas ganas de verles.

Pero lo primero era lo primero.

Colgó, cogió del mostrador de la cocina dos cajas de zapatos envueltas para regalo y salió de allí a toda prisa.

Se abrió paso entre los grupos de invitados que abarrotaban la casa, a la vez que estrechaba manos a diestro y siniestro.

En medio del vestíbulo, los recién llegados hablaban cordialmente con Sarah. Alan reconoció a Jim Shepherd, su nuevo ejecutivo.

—¡Jim! —exclamó Alan—. Me alegro de que hayáis llegado bien.

—Gracias —le contestó Jim—. Te presento a Martha, mi mujer.

—Encantada —respondió la señora Shepherd estrechándole la mano.

Martha Shepherd miró a su alrededor.

—¡Eh! ¿Dónde están los niños?

Pero Alan ya lo sabía. Los había reconocido al momento. Se les acercaban entre la multitud.

—Aquí están. —Alan reconoció asombrado unas caras que no había visto en muchísimos años.

La cara de Judy y Peter Shepherd.

Martha Shepherd le clavó la mirada y preguntó sorprendida:

—¿Cómo lo has sabido?

—Bueno, sólo por intuición —replicó Sarah rápidamente.

Alan se quitó su barba blanca. Sonrió a Judy y Peter, mostrando su verdadera cara, con la esperanza de que le hicieran alguna pregunta sobre el juego. Casi lo deseaba. Así reanudarían la vieja amistad donde se había quedado.

—Pues sí, tienes razón —afirmó Martha Shepherd—. Éstos son nuestros hijos, Judy y Peter. Niños, saludad a los señores Parrish.

—Hola —murmuró Peter.

—Mucho gusto —añadió Judy muy educada.

«No se acuerdan... —comprendió Alan de pronto—. No lo recuerdan porque nunca ocurrió.»

Miró un segundo a Sarah. Su rostro reflejaba una combinación de pena, alegría, alivio y sorpresa. Pero sólo Alan lo advirtió.

Porque sólo Alan sentía lo mismo que ella.

—Bueno... es como si ya os conociéramos —explicó Sarah con dulzura.

—Hemos oído hablar tanto de vosotros —intervino Alan enseguida. Luego, les entregó sus regalos—. Feliz Navidad.

Mientras Judy y Peter desenvolvían los paquetes, Alan regresó a la realidad.

—Bueno —se dirigió a Jim Shepherd—, ¿cuándo estarás listo para empezar?

—La verdad, Martha y yo pensábamos hacer una escapada a las Rocosas canadienses, a esquiar. Una especie de segunda luna de miel, ya sabes...

—¡No! —exclamaron al unísono Alan y Sarah.

El accidente se había producido durante aquel viaje... el accidente que había dejado huérfanos a Judy y Peter. Ni Alan ni Sarah lo habían olvidado.

Los Shepherd se quedaron pasmados.

—Lo siento —se disculpó Alan—. Em... Es sólo que...

—Necesitamos urgentemente planificar la nueva campaña de promoción —puntualizó Sarah.

—De acuerdo —contestó Jim Shepherd tras una leve vacilación—. Puedo empezar a trabajar la semana que viene.

Judy y Peter admiraban los regalos: unas zapatillas deportivas Parrish, último modelo, con compartimento de aire y motivos de safari.

Judy leyó el logotipo.

—¿Ju... man... ji?

—¿Qué te parecen? —le preguntó Alan.

—Qué nombre más raro para unas zapatillas... —comentó Peter.

¡Pam! Fue como una patada en el estómago. Por primera vez, Alan supo, supo de veras, en lo más hondo, que Jumanji había acabado.

Y no lo echaría de menos.

—Venid —les dijo Alan—. Os presentaré a los demás.

Les guió hacia el salón. Martha Shepherd lo contemplaba todo fascinada.

—¡Qué casa más bonita!

—Sí —le contestó su marido, riéndose—. ¡Imagínate lo que haría Nora por tener una casa así...!

EN ALGUNA PARTE DEL SUR DE FRANCIA, HOY

32

Emilie Reynaud e Isabel Villeneuve caminaban taciturnas por la playa, muy abrigadas para protegerse del viento helado. A sus doce años, eran estupendas amigas, se sentían unidas por tantas coincidencias... Los gustos musicales, la ropa, el odio al colegio y su desdicha por la vida en general.

—Mamá y papá no paran de criticarme —dijo Emilie con amargura—. Nunca me dejan hacer nada divertido.

—Pues en mi casa sucede igual —replicó Isabel—. ¡Nadie me quiere!

Las olas acariciaban la orilla, casi alcanzándoles los pies. Unos metros más adelante, un objeto rectangular, oscuro, sobresalía de la arena. Algo que el mar había arrojado a la playa.

Las niñas se callaron. Por fin algo interesante en sus aburridas vidas. Se inclinaron a mirarlo.

Y entonces empezaron a retumbar unos tambores...

ÍNDICE

PRÓLOGO 5

PRIMERA PARTE
NEW HAMPSHIRE, 1869 7

SEGUNDA PARTE
NEW HAMPSHIRE, 1969 15

TERCERA PARTE
NEW HAMPSHIRE, 1995 51

CUARTA PARTE
NEW HAMPSHIRE, 1969 211

QUINTA PARTE
NEW HAMPSHIRE, 1995 221

EPÍLOGO
*EN ALGUNA PARTE DEL SUR
DE FRANCIA, HOY* 233

Título de la edición original: *Jumanji*
Traducción del inglés: Nuria Lago Jaraiz,
cedida por Ediciones B, S.A.
Diseño: Emil Tröger

Círculo de Lectores, S.A. (Sociedad Unipersonal)
Valencia, 344, 08009 Barcelona
1 3 5 7 9 6 9 0 7 8 6 4 2

Licencia editorial para Círculo de Lectores
por cortesía de Ediciones B, S.A.
Está prohibida la venta de este libro a personas que no
pertenezcan a Círculo de Lectores.

Depósito legal: B. 25878-1996
Fotocomposición: gama, s.l., Barcelona
Impresión y encuadernación: Printer industria gráfica, s.a.
N. II, Cuatro caminos s/n, 08620 Sant Vicenç dels Horts
Barcelona, 1996. Impreso en España
ISBN 84-226-6110-1
N.º 20693